VAŽNI SASTANAK

Rendez-vous important à Međugorje

Lise Baril-Leclerc

VAŽNI SASTANAK

Rendez-vous important à Međugorje

Les Éditions Bellarmin
8100, boul. Saint-Laurent, Montréal
1986

Données de catalogage avant publication (Canada)

Baril-Leclerc, Lise, 1938-

   Važni Sastanak: rendez-vous important à Međugorje
   2-89007-628-8

   1. Marie, Sainte-Vierge — Apparitions et miracles —
Yougoslavie — Međugorje (Bosnie-Herzégovine).
2. Baril-Leclerc, Lise, 1938-   I. Titre.

BT660.M44B37 1986   232.917'0949742   C86-096420-5

Couverture: Pierre Peyskens
Dépôt légal — 4ᵉ trimestre 1986 — Bibliothèque nationale du Québec
Copyright © Les Éditions Bellarmin 1986
ISBN 2-89007-628-8

Čudan je narod,
Kad pođe za Gospom.

Il est étonnant, le peuple,
quand il suit notre Dame.

Vicka à Janko Bubalo.

À Vicka et à son peuple

TABLE DES MATIÈRES

INTRODUCTION

Le coeur du présent livre est mon journal de voyage, où je raconte les événements significatifs d'un séjour d'un mois à Međugorje, fait en mai 1985, durant lequel j'ai noté tout ce que j'ai vu et entendu: aussi bien les extases de Vicka que la couleur de la robe d'Ivanka.

Tout ce que je dis ici est exact et j'en réponds en conscience. D'ailleurs, on distinguera facilement les faits, mes commentaires et les textes d'auteurs cités en explication.

Les noms des gens de Međugorje sont réels. Pour les visiteurs, lorsque j'ai pu obtenir l'assentiment des personnes, leurs noms sont mentionnés. Autrement, j'ai utilisé des pseudonymes en l'indiquant en note.

Mon journal est précédé d'informations sur Međugorje, d'un résumé des événements majeurs reliés aux apparitions et des tests médicaux faits par des équipes scientifiques. Ces courts chapitres sont destinés au lecteur qui en serait à son premier contact avec ce qui arrive présentement en Yougoslavie. Ils sont nécessaires à la compréhension du journal.

La troisième section en est une de renseignements pratiques: autant de réponses aux questions qu'on m'a posées lors de toutes les conférences que j'ai données.

J'ai contracté, pour écrire ce livre, une énorme dette de reconnaissance, n'ayant d'égale que la joie que je mets à m'en acquitter.

Je remercie en premier lieu le père Joseph-Charles Zanic, O.P., Penitenziere à la Basilique Santa Maria Maggiore, qui a entièrement revu mon manuscrit pour le croate. Homme d'une culture remarquable, il ne s'est pas contenté de vérifier la langue.

Au contraire, sans compter son temps, il m'a expliqué le sens profond des mots et le contexte des coutumes de son pays natal, me racontant de larges tranches de l'histoire de la Croatie, suggérant plusieurs précisions importantes. Sa générosité n'ayant pas de limites, il a fini par lire le texte entier et me donner des conseils judicieux autant sur le fond que sur la forme. Nombre de remaniements lui sont dûs, pas forcément visibles mais tous essentiels.

Madame Darija Klanac, du Centre communautaire croate de Montréal, m'a patiemment expliqué la différence entre le croate, parlé en Bosnie-Herzégovine, et le serbo-croate du livre *Assimil*. Elle m'a fourni une histoire de la langue, un livre d'étude, des chansons croates et des livres de prières, de sorte que j'ai pu, dès le premier soir à Međugorje, chanter en croate à la messe et, par la suite, parler directement avec les voyants et les gens de la paroisse.

C'est le Père Raymond Bernier, r.s.v., qui m'a fourni plusieurs ouvrages importants sur Međugorje, et le petit livre de A. J. Yeung avec lequel j'ai pratiquement organisé mon voyage.

Plusieurs photos importantes de cet ouvrage m'ont été fournies gracieusement et généreusement par Anđelko, Marija, Vicka, le père Yves-Marie Blais, le frère Edgar De Grâce, O.P., et monsieur Denis Chabot.

Je remercie enfin mon mari qui, pour me mettre en demeure d'écrire ce livre, m'a aidée à organiser toute l'information de mon Journal de Međugorje et des ouvrages importants sur le sujet. Sans son insistance et sa collaboration, ce livre n'aurait jamais paru.

Le 21 mai 1986, en la
fête de notre Dame
de Vladimir   Lise Baril-Leclerc

LE CONTEXTE DE MEĐUGORJE

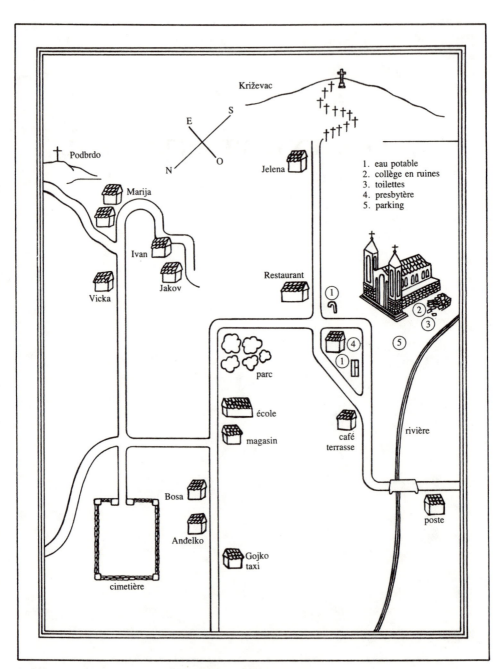

Plan de Međugorje

HISTOIRE ET GÉOGRAPHIE

Međugorje est une paroisse catholique située dans la région de Bosnie-Herzégovine, en Yougoslavie. Elle compte 3 400 habitants, paysans, répartis en quatre cantons ou hameaux: Miletina, Vionica, Šurmanci, et Bijakovići où j'ai demeuré. On y cultive le tabac, la vigne et le blé. Chaque famille a son jardin potager et une basse-cour, en plus de faire l'élevage d'animaux pour le lait, la viande et la laine. Même avec la mécanisation, le travail aux champs est épuisant*.

Međugorje porte bien son nom: *među* = entre, *gorje* = les montagnes. Le village est en effet situé à la limite sud-est du Karst, zone de plateaux calcaires, à 200 mètres au-dessus du niveau de la mer.

La première mention du mot Međugorje date de 1599. C'est un terme croate, langue parlée par le peuple du même nom, venu d'Asie lors des migrations du VIIe siècle. ''Selon l'empereur byzantin Constantin Porphyrogénète, la Croatie, qui se trouve aujourd'hui dans la SFR Yougoslavie, a reçu le baptême par les missionnaires envoyés par le Pape de Rome. Sous le règne des princes Višeslav et Branimir, la christianisation du peuple croate s'effectua dans la paix du VIIe au IXe siècle.'' Le nom du prince Branimir signifie: qui protège (Brani) la paix (mir) — un nom prédestiné pour le prince du peuple qui accueille aujourd'hui, onze siècles plus tard, la Reine de la Paix: *Kraljica Mira*.

Durement éprouvée au cours des siècles, surtout de 1478 à 1878 sous l'occupation turque, leur foi est restée ferme. Mais, de tous les Croates, ce sont les populations de l'Herzégovine qui ont le plus fidèlement gardé leur foi, subissant inégalités, exil, dégradations, pauvreté, humiliations.

---

* Sauf le passage entre guillemets suggéré par le père Charles-J. Zanic, O.P., ce chapitre est basé sur Laurentin/Rupčić, Ljubić, Kraljević et Yeung.

Dans la Yougoslavie contemporaine, les différentes religions (orthodoxe, catholique, musulmane) vivent sous le régime de la séparation de l'Église et de l'État.

La paroisse de Međugorje est dirigée par les Franciscains. En mai 1985, date des événements de notre récit, le curé est Fra Tomislav Pervan, assisté, entre autres, de Fra Slavko Barbarić, Fra Petar Ljubičić et Soeur Janja Boras.

Dans le paysage de Međugorje, apparaissent trois points d'appel: l'église, Križevac et Podbrdo.

Construite immédiatement après la guerre 1939-1945, l'église est dédiée à saint Jacques Le Majeur.

Križevac a 520 mètres de hauteur (1 716 pieds). Autrefois Šipovac, le nom de la montagne est devenu Križevac (*križ* = croix) depuis qu'on y a construit en 1933 une croix de béton de 12 mètres pour honorer le dix-neuvième centenaire de la mort de notre Seigneur. Les matériaux ont été transportés à dos d'homme. Cette croix s'est souvent transformée en colonne lumineuse. Lors des apparitions, la Vierge a dit que c'était elle-même, priant continuellement pour le salut du monde (K, 86). Cette grande croix est d'ailleurs la quatorzième station d'un chemin de croix.

Podbrdo signifie ''pied de la colline''. C'est en effet une petite montagne à l'est du grand Križevac, qui en est séparée par une vallée. Podbrdo est le lieu des premières apparitions, auxquelles ont assisté des milliers de personnes. L'endroit précis de la venue de Marie est marqué d'une croix et facilement reconnaissable par le cratère creusé par la dévotion des pèlerins, qui ne partiraient pas sans une relique de cet endroit sacré.

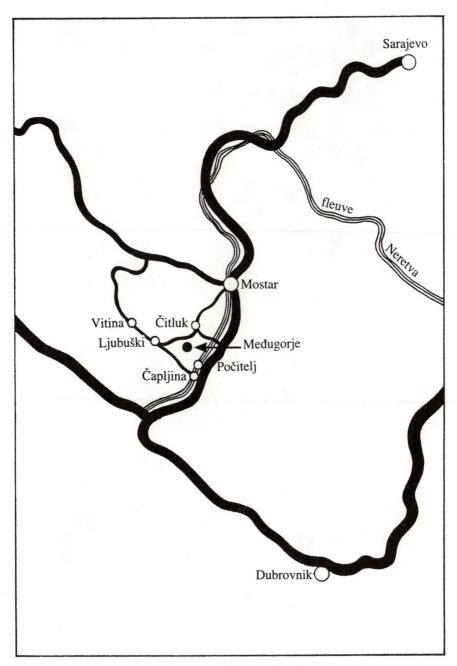

Carte de Yougoslavie

Notre Dame de Međugorje

CHRONIQUE DES APPARITIONS

Le contenu du présent chapitre, probablement connu de ceux qui ont lu sur Međugorje, est destiné à ceux qui prennent un premier contact avec cet événément bouleversant. Notre petite chronique repose essentiellement sur les ouvrages de Laurentin et Kraljević, que je ne saurais trop recommander pour prendre la mesure exacte des faits.

Premières apparitions

Les apparitions ont commencé le 24 juin 1981, sur la colline de Podbrdo (LR, 35). Le groupe définitif des six voyants, tous étudiants, a été formé dès le lendemain:

Vicka Ivanković	(née le)	3 septembre	1964
Mirjana Dragičević		18 mars	1965
Ivan Dragičević		25 mai	1965
Marija Pavlović		1 avril	1965
Ivanka Ivanković		21 juin	1966
Jakov Čolo		6 mai	1971

Pourquoi la Vierge apparaît-elle à Međugorje? Parce qu'elle y trouve la foi (LR, 36). Pourquoi a-t-elle choisi ces jeunes plutôt que d'autres? Voici un élément de réponse: ''Avant les apparitions, les voyants ne se distinguaient pas des autres enfants de la paroisse, ni par leur piété, ni par leur participation au caté-chisme ou aux sacrements, encore moins par leur ascèse'' (LR, 49). Conclusion: mystère.

Les jeunes perçoivent notre Dame comme une personne bien réelle. Elle est très belle. Elle a les cheveux noirs, un peu bouclés, les yeux bleus, le teint rose. Elle porte une robe qui aurait la couleur d'une transparence lumineuse tirant sur le gris. Son voile est blanc. Sa voix est agréable à entendre comme une musique (LR, 45).

Après la deuxième apparition du 24 juin 1981, "les six jeunes gens sont effrayés. Ils redescendent chez eux et racontent ce qu'ils ont vu. Personne ne les croit. Quelques-uns se moquent" (LR, 35).

Le 26 juin, la Vierge apparaît en présence d'au moins 2 000 personnes (LR, 36). Vicka asperge l'apparition d'eau bénite en disant: "Si tu es vraiment notre Dame, reste avec nous, sinon laisse-nous" (LR, 37). La Vierge sourit.

La police de Čitluk leur fait subir un long et sévère interrogatoire. Ils "répondent avec une fermeté inébranlable à toutes les dissuasions" (LR, 38). Le 27 juin, après un examen psychiatrique, le docteur Ante Vujević les déclare normaux, sains d'esprit, et en bonne santé (LR, 38). Le 29 juin, le docteur Dzuda de Mostar les examine en vue d'un internement, mais doit reconnaître leur parfait équilibre (LR, 39).

Du 24 juin 1981 jusqu'à maintenant, il n'y a eu que cinq jours où les enfants n'ont pas vu la Vierge. À l'heure où nous nous parlons, Mirjana et Ivanka n'ont plus d'apparitions. Notre Dame visite cependant Mirjana le jour de son anniversaire et des fêtes importantes.

Phénomènes exceptionnels

Des événements exceptionnels se sont produits: le soleil a dansé, la croix de Križevac s'est changée en colonne de lumière, un feu a brûlé à Podbrdo durant quinze minutes sans rien consumer; la Vierge a dit au cours d'une apparition que c'était "un des signes avant-coureurs du grand signe" (K, 58). Tous les signes sont donnés pour renforcer la foi, jusqu'à l'envoi du signe permanent (K, 58).

Secrets

Notre Dame livre à chacun des voyants dix secrets qu'ils rendront publics quand ils auront sa permission (LR, 47). Mirjana connaît la date où chaque secret sera révélé: "Des secrets seront révélés, mais peu; puis les gens se rendront compte que notre Dame était vraiment là. Ils comprendront ensuite le signe" (F, 71). Il y aura trois admonitions, puis le signe promis. C'est alors que seront révélés les dix secrets (LS, oct. 85, 26).

Selon Vicka, "Elle laissera un signe permanent, qui apparaîtra d'un coup, sur la terre, à Podbrdo, que pourront voir tous ceux qui viendront, et qu'on ne pourra anéantir. Le but du signe est de montrer au peuple qu'Elle est là parmi nous. Malheur à ceux qui attendront le signe pour se convertir!" (B, 116).

Déclarations des voyants

Au cours d'une entrevue structurée, les voyants, interrogés séparément et sous serment par l'Abbé Laurentin, ont donné unanimement les réponses suivantes (LR, 56-75):

Avant les apparitions, ils n'ont jamais eu envie de voir la Sainte Vierge et ils ont eu peur en la voyant. Elle s'est présentée comme "la bienheureuse Vierge Marie". Ils la voient comme on voit une autre personne. Quatre sur six l'ont touchée: "Ça résiste comme du métal."

Lorsqu'elle apparaît, elle est devancée par la lumière. Elle est toujours vêtue de la même façon, sauf aux jours de fête. Elle parle le croate. Elle dit au début "Loué soit Jésus" (Hvaljen Isus) et termine par "Allez dans la paix de Dieu".

Ils ont tous des secrets qui concernent leur vie personnelle, les gens, l'Église de Međugorje et l'Église universelle. Notre Dame laissera un grand signe visible pour tout le monde.

La Vierge vient nous livrer un message: promouvoir la paix: le plus important. Par le jeûne, arrêter les guerres et empêcher les catastrophes. Jeûner le vendredi au pain sec et à l'eau. Se convertir. Avoir une foi ferme. Prier. Dire 7 *Pater*, 7 *Ave*, 7 *Gloria* et le *Credo*. Approfondir la foi pour qu'elle puisse être transmise d'une génération à l'autre.

Avec les apparitions, la vie des voyants a changé. Ils se sont mis à prier et à célébrer les sacrements de pénitence et d'Eucharistie.

Ils ne se lassent pas des apparitions.

Quoi penser des événements?

Sur les événements de Međugorje, on peut être prudent, douter. Le Père Jozo Zovko, o.f.m., curé de la paroisse, a commencé par ne pas croire aux apparitions, qu'il jugeait suspectes et en marge de l'essentiel de la vie chrétienne. Dès le début, les voyants furent soumis séparément à des séances de questions dans le but de les faire se contredire pour "mettre un terme le plus vite possible à cette expérience et éviter la honte à la paroisse, au curé, et à la foi" (K, 92). De sorte que Vicka a pu dire: "Les seuls qui ne nous croient pas sont les prêtres et la police" (K, 63).

Donc, d'abord douter. C'est dans la meilleure tradition de l'Église.

Mais cet acte de prudence élémentaire ne dispense pas de considérer les faits, notamment ceux qui suivent, et qui devraient avoir quelque poids dans un jugement objectif.

Il n'y a à Medugorje aucun aspect mercantile, aucun commerce regrettable (Philippe Madre, dans K, 10). Les voyants n'acceptent aucun argent. Le côté matériel n'a aucun attrait pour eux (L, 54).

Dans la pièce des apparitions, il y a d'autres gens (LR, 42).

"Les enfants ont été examinés par des médecins, des psychothérapeutes et d'autres spécialistes, parfois sollicités à décider d'un internement, et tous ont été contraints de les déclarer en bonne santé" (LR, 49).

C'est le Dr Philippe Madre qui parle: "Ayant été personnellement confronté, à de multiples reprises, à des phénomènes troublants et faussement mystiques, je puis témoigner sans réticence que ce qui se passe à Medugorje relève plutôt d'un surnaturel authentique manifesté dans les personnes laissées cependant à leur propre vulnérabilité" (K, 11).

Dans les messages, "Tout respire la dignité, le sérieux, la sagesse et la délicatesse naturelle" (LR, 46).

"Ces jeunes, ordinaires, semblables aux autres, 'ni meilleurs ni pires', dit Vicka, sont parvenus à une belle maturité humaine et à une charité (à une sainteté transparente) qui m'émerveille de mois en mois davantage. C'est là le secret de Medugorje, qui gagne en profondeur, par ondes concentriques, toute une contrée, et des visiteurs de toutes nations" (LJ, 55).

Ces enfants témoignent de ce qu'ils prêchent. Leur exemple est si puissant, leur parole si convaincante que leurs voisins du village et des milliers de pèlerins, y compris beaucoup de prêtres et de religieuses, écoutent et font ce qu'ils disent (K, 71).

24

Position de l'évêque

Quelle a été, au début, la position de l'évêque de Mostar, Monseigneur Pavao Žanić? "Concernant les apparitions et les miracles en général, nous devons dire que, pour nous croyants, ils sont possibles car nous nous ne pouvons renier ni Jésus-Christ ni l'histoire des saints. Mais il est bien connu, d'autre part, que l'Église a toujours été très prudente avant de porter son jugement positif sur les apparitions et les miracles de Lourdes, de Fatima et d'ailleurs." Concernant Bijakovići, "tout nous conduit à la conviction que les enfants ne mentent pas. Reste la question la plus difficile: s'agit-il d'une sensation subjective des enfants ou d'un événement surnaturel? Notre position est celle de Gamaliel: 'Si cette oeuvre vient des hommes, elle se détruira elle-même, mais si vraiment elle vient de Dieu, vous n'arriverez pas à l'anéantir (*Ac* 5, 38-39)'" (La voix du Concile, Zagreb, 16 août 1981, dans LR, 19).

Nous savons que l'évêque a revu cette position. Sur cette question particulièrement délicate, les meilleures informations sont chez Laurentin. Et, au risque de me répéter, je suggère encore une fois de revenir à cet excellent auteur pour tout ce qui concerne Međugorje.

TESTS SCIENTIFIQUES

> La Vierge a souri en voyant Ivan harnaché par les fils des appareils. Nous lui avons demandé ce qu'elle en pensait. Elle a répondu: "Ce n'est pas nécessaire" (LJ, 24).

Pour porter un jugement correct sur les événements de Međugorje, j'ai suggéré, au chapitre précédent, d'accorder un certain poids au fait que les tests médicaux font la preuve que les voyants sont parfaitement équilibrés.

Je reprends cette idée pour en faire un chapitre à part, car j'estime que la recherche scientifique, sans être nécessaire à la foi, est éminemment utile à disposer des objections justifiées par le nombre impressionnant des cas de faux mysticisme. Dans le cas de Međugorje, la toute première réaction du chrétien normal est de se demander — selon la tradition de l'Église! —: s'agit-il d'illuminés? À cette question, la science peut apporter une réponse solide sur le comportement des voyants: sommes-nous en face de gens sains de corps et d'esprit, et disent-ils la vérité? Telle est, au printemps de 1984, la question de l'équipe du Dr Joyeux: quelle est sa réponse?

L'équipe de recherche

Les sept membres de l'équipe scientifique du Dr Joyeux cumulent les disciplines suivantes: nutrition, cancérologie, ophtalmologie, oto-rhino-laryngologie, médecine interne, cardiologie, neurologie, neuro-physiologie et génie électronique des tests. Tous sont issus de l'université de Montpellier (France) et exercent la médecine en milieu hospitalier ou dans la pratique privée (LJ, 70).

État de la question

Au moment de procéder à sa propre recherche (9-10 juin et 6-7 octobre 1984), le Dr Joyeux connaissait les résultats des tests faits par d'autres chercheurs — résultats mentionnés dans l'ouvrage qu'il signe avec l'Abbé Laurentin, et dont voici l'essentiel.

Les voyants ont été examinés à Čitluk, le 27 juin 1981, par le Dr Ante Bijević, et à Mostar, le 29 juin, par le Dr Dzuda. Résultat: ils sont absolument normaux (LJ, 19-26).

En 1982, le Dr Slavko Barbarić, o.f.m., Docteur en psychologie sociale, conclut qu'ils ne sont ni hallucinés, ni manipulés, mais parfaitement libres (LJ, 19-26).

Après quatre examens (observation et expérimentation sans appareils), le Dr Stopar, psychiatre, parapsychologue et hypnothérapeute, déclare qu'ils sont absolument normaux, ne présentent pas de signes psycho-pathologiques. La personne qu'ils voient en extase n'est pas le produit de leur imagination, c'est un être objectif. Il n'y a pas de simulation, pas de manipulation. Marija, sous hypnose involontaire médicale, dit la même chose qu'à l'état conscient (LJ, 19-26).

Le Dr Maria F. Magatti (3-4 février et 22 mars 1984) note qu'il n'y a pas de réactions au pincement douloureux, pas de modification du diamètre de la pupille devant un projecteur cinématographique de 1 000 watts. Il n'y a pas de catalepsie, pas de sueurs, pas de larmes. Elle note: normalité neurologique (LJ, 19-26).

Le Dr Enzio Gabrici (3-8 avril 1984) observe que rien ne dénote des carences affectives. Il n'y a pas non plus de coups d'oeil des voyants pouvant expliquer pourquoi ils s'agenouillent en même temps. Enfin, Vicka n'est ni névrotique ni psychotique (LJ, 19-26).

Durant les apparitions, ''c'est un groupe où chacun est indépendant et assume ses attitudes propres, mais tous sont attirés vers un objet externe qui polarise leur attention et leur intérêt à un niveau d'intensité que je n'ai jamais vu auparavant et qui caractérise, selon moi, la singularité de l'expérience'' (Dr Anna-Maria Franchini, 5 avril 1984. Cité par Laurentin, 25) (LJ, 19-26).

But de la recherche

Le but du programme de recherche — première étude scientifique d'une extase — est d'étudier les voyants sous l'angle clinique et para-clinique, avant, pendant et après la période de l'extase, afin de rechercher des différences dans le fonctionnement des principaux organes récepteurs: le cerveau, la vision, l'audition, la phonation et les fonctions végétatives, cardiaques en particulier (LJ, 70).

Pour les fins de la recherche, l'extase se présente comme la perception sensitive de réalités visibles et perceptibles pour les voyants, invisibles et non perceptibles pour tous les autres, en particulier ceux qui cherchent à comprendre (LJ, 11). "Le mot 'extase' caractérise l'état de déconnexion avec le milieu ambiant qui conditionne, pour le sujet, des perceptions d'un autre ordre: Dieu et le monde divin" (LJ, 13).

Les tests permettent de vérifier le retentissement de l'état d'extase sur le cerveau, le coeur, la circulation, l'oeil et les mécanismes visuels, l'audition, le larynx et l'activité vocale, etc. (LJ, 18).

Les tests ont été filmés sur bande vidéo et sont contrôlables par les experts (LJ, 37).

Résultats de l'observation

Voici maintenant l'essentiel des résultats des tests du Dr Joyeux et de son équipe.

Avant l'extase

"Ils entrent décontractés, naturels, attentifs aux autres. L'apparition n'est pas pour eux une idée fixe, elle ne paralyse pas, mais vivifie leur charité à tous les instants" (LJ, 13-14).

Durant l'extase

Avant l'extase, on observe, sur les deux voyantes Marija et Ivanka, le rythme bêta (attention et réflexion); pendant l'extase, le rythme alpha, autre rythme d'éveil (LJ, 36). "Le rythme alpha s'observe aussi bien dans l'attitude expectative, dans la relaxation, dans les techniques de méditation. C'est un rythme d'attente

29

plus que d'attention qu'est le rythme bêta'' (LJ, 95). C'est le rythme du repos, facile à obtenir chez les contemplatifs, fruit du silence et de la pensée (LJ, 95).

Avant l'extase, "Ivan sursaute à un bruit de 70 décibels. Pendant l'extase, Ivan est sans réaction à l'impact d'un bruit de 90 décibels (moteur à explosion à haut régime)'' (LJ, 40).

"Les voyants perçoivent une personne pour eux bien réelle 'à trois dimensions' qu'ils peuvent toucher. Les regards convergent. Ils situent l'apparition au même endroit'' (LJ, 45).

À la différence des médiums, ils gardent une parfaite conscience de leur identité (LJ, 19-26).

"Le visage est parfaitement harmonieux et relaxé. Le tout manifeste un état de bien-être et de bonheur. Les voyants semblent (…) comblés'' (LJ, 44).

La pupille continue de réagir à la lumière pendant l'extase, mais le réflexe de clignement à l'agression lumineuse disparaît totalement (LJ, 34).

Un électro-oculogramme (enregistrement des mouvements oculaires) révèle qu'au début de l'extase, les mouvements oculaires de Marija et Ivan s'arrêtent à la seconde près. C'est un indice d'objectivité de l'apparition (LJ, 38).

"L'interposition d'une personne, d'un écran ou des paupières fermées n'empêche pas la perception de l'apparition'' (LJ, 16).

Interprétation des tests

Les électro-encéphalogrammes sur Marija et Ivanka excluent toute anomalie cérébrale et tout symptôme pathologique, ainsi que le rêve, le sommeil et l'épilepsie (LJ, 36).

L'observation clinique exclut l'hallucination, l'épilepsie, l'hypnose (LJ, 19-26).

"L'étude clinique des voyants à toutes les phases de l'extase (avant, pendant et après l'apparition) permet d'éliminer formellement tout signe clinique comparable à ceux que l'on peut observer dans l'hallucination individuelle ou collective, dans l'hystérie, la névrose ou les extases pathologiques'' (LJ, 75).

"L'extase des adolescents n'est ni rêve, ni épilepsie, ni hallucination, ni hystérie, ni catalepsie. Elle n'a rien de pathologique et n'est pas une perturbation d'identité" (LJ, 7).

* * *

En conclusion, notons d'abord que les résultats de recherche de l'équipe du Dr Joyeux ont été confirmés par les tests du Dr Frigerio (9 mars 1985) et ceux d'un groupe de chercheurs italiens (7-9 septembre 1985) (LS, oct. 85).

Nos questions de départ étaient: les voyants sont-ils sains de corps et d'esprit? Disent-ils la vérité? Les scientifiques répondent: nous n'avons pas de raisons médicales de dire non. Savons-nous si les voyants voient la Vierge? À chacun de décider s'il doit personnellement faire confiance à Vicka, Marija, Mirjana, Ivanka, Ivan et Jakov.

PRONONCIATION DES MOTS CROATES

Les mots croates se prononcent comme en français, à l'exception des cas suivants:

c	ts	de	*ts*ar
č	tch	de	ma*tch*
ć	tch	de	ma*tch* (le *t* très doux)
đ	dj	de	*Dj*akarta
h	h	de	*h*ello! (aspiré)
j	y	de	*Y*ougoslavie
lj	ll	de	fami*ll*e
nj	gn	de	pei*gn*e
s	s	de	*s*oie (jamais z)
š	ch	de	*ch*at
u	ou	de	j*ou*r
ž	j	de	*j*oie
z	z	de	*Z*agreb

Anđelko

Iva

Nikola

Mirjana

Dalibor

Ivina

JOURNAL DE MEĐUGORJE

I

KOD ANĐELKA OSTOJIĆ

Lorsque j'arrive au presbytère de Međugorje, le 5 mai à cinq heures de l'après-midi, je n'ai pas la moindre idée de l'endroit où je vais demeurer. Madame Darija Klanac, du Centre croate de Montréal, m'a bien écrit une lettre de recommandation pour le curé, mais il ne la lit pas et disparaît dans une autre pièce, de sorte que je me retrouve seule avec Soeur Janja qui me dit:

— Kod Anđelka Ostojić, Bijakovići.

C'est-à-dire "Chez Anđelko Ostojić, à Bijakovići". C'est ici que je vais passer un mois, avec Anđelko et sa femme Iva, d'authentiques paysans dans la cinquantaine. Leurs deux fils vivent avec eux: Nikola, dans la vingtaine, marié avec Mirjana, et Dalibor, qui a douze ans et fréquente l'école du village. Ivina, la petite fille de Mirjana, a six mois.

La famille Ostojić gère une entreprise agricole: champs de blé, vigne et tabac. Nikola participe aux travaux de la ferme en plus d'assurer un travail à Čitluk.

J'entre chez Anđelko comme on entre au monastère. Durant un mois, je vivrai à leur rythme, je célébrerai leurs fêtes, j'entendrai le même coq nous annoncer le même soleil, en bénéficiant toutefois de la liberté de circuler attachée à mon statut de pèlerin et d'invitée de Gospa*.

Bijakovići est ce que nous appellerions un rang: une route étroite de campagne bordée de maisons blanches, s'allongeant entre les champs de blé, de vigne et de tabac. Nous sommes ici

---

* Gospa: la Madone

dans la campagne absolue. Et c'est d'ici que notre Dame organisera, de façon beaucoup plus concrète que je ne l'aurais imaginé, et par des moyens encore plus imprévisibles, un mois d'expériences définitives.

II

HVALJEN ISUS I MARIJA!

Le 7 mai. Au cours de l'avant-midi, *bonjour* en croate se dit *dobro jutro*: bonne matinée. C'est la formule de la méthode *Assimil*, à laquelle je ne déroge pas depuis mon arrivée. Mais ce matin, au lieu de me répondre *dobro jutro*, Anđelko prend une grande respiration et dit en souriant:

— Liza, ici à Bijakovići, on ne dit pas *dobro jutro* mais *Hvaljen Isus y Marija!*

Hvaljen Isus: loué Jésus; *y Marija*: et Marie. C'est la salutation coutumière aux populations pieuses, dans les régions croates (L, 60). Je pense au *Grüss Gott* de l'Autriche, entendu dans la salle à manger d'une auberge de Fuss, sur la route du Gross-Glockner, en 1970. *Grüss Gott*: Salut, Dieu. Au Kibbutz de Bet Keshet, en Galilée, on saluait avec *Shalom*: Paix; au Maroc, avec *Salam alekoum*: la Paix avec toi; et tout verbe au futur était suivi d'*Inch'Allah*: si Dieu le veut.

Désormais, *Hvaljen Isus y Marija!* Je remercie Anđelko et je corrige la méthode *Assimil*. Pas complètement cependant, car j'ai compris que *Hvaljen Isus y Marija* remplaçait seulement *dobro jutro*, de sorte que, l'après-midi, j'utilise encore le *dobar dan* du livre : bonne après-midi. Cette fois, c'est Mirjana qui prend la relève du maître Anđelko. Elle rit:

— Pas *dobar dan*! *Dobar dan*, c'est comme ils parlent à Zagreb. Ici, tu dis *Hvaljen Isus y Marija*. Matin, midi et soir!

La règle est limpide, je l'applique. *Hvaljen Isus* opère des miracles. Sur la route, les visages s'éclairent; j'aborde de purs étrangers comme si j'étais de la famille.

J'arrive au bureau de poste. Je me prépare à entrer avec *Hvaljen Isus y Marija*. Mais encore dehors, j'entends: "*Dobar dan*!''. Je nuance ma correction d'*Assimil*: À Međugorje, employer *Hvaljen Isus y Marija*, excepté au bureau de poste, où l'on rend encore à l'État ce qui est à l'État …

III

IVAN SE RECUEILLE

Lundi, le 7 mai. Il est onze heures du matin et les cars de tourisme s'alignent déjà dans le parking de l'église. Entrent des pèlerins qui hésitent un moment, cherchant la pièce des apparitions, vite repérée par la circulation de l'allée de droite où ils se dirigent, sans avoir remarqué à quelques pas, à l'extrémité gauche de l'avant-dernier banc, Ivan agenouillé disant son chapelet. C'est là qu'il aime prier.

Sans le geste lent de l'index avançant le grain du *Gloria*, c'est un bloc de granit que j'aurais devant moi, avec son énorme poids de silence et ses yeux fermés au monde extérieur.

Gospa l'a dit: d'abord l'inertie du corps, ensuite la prière: ''Tu ne dois pas seulement prier des lèvres, mais te recueillir, t'asseoir sans remuer, n'être distraite par rien; tu dois rentrer en toi.'' (A Jelena, dans Tequi, 1984, p.29).

Ivan est à genoux sans remuer. Mais des Italiennes l'ont reconnu et se sont approchées. Elles sont juste derrière lui, parlant à voix basse, préparant quelque chose. Une femme dans la quarantaine se détache du groupe et va lui serrer la main. Il est si absorbé dans sa prière qu'elle lui a pris la main sans qu'il puisse réaliser ce qui arrive. Il ne sourit pas, ne comprend pas et le laisse voir. Sa main lui est rendue. Il pousse un profond soupir, referme les yeux et reprend son chapelet.

Une deuxième femme s'avance et lui prend la main droite pour la baiser. Très ennuyé, il résiste comme il peut, essaie de se dégager mais n'y arrive pas, tant est grande la ferveur de la dame.

Elle revient comblée. Ivan soupire, ferme les yeux, s'immobilise, prend une grande respiration, et l'index avance la dizaine d'un grain.

IV

MARIJA ARRIVE AU PRESBYTÈRE

Le 7 mai. Il a plu une bonne partie de la journée, le temps est gris et la chaussée encore humide. Il est cinq heures et demie et les pèlerins arrivent nombreux devant le presbytère.

Les voyants vont bientôt passer pour monter à la pièce des apparitions. Les caméras sont prêtes.

Marija paraît au tournant de la route. Elle marche vite. "Elle marche toujours vite, Marija" dit Vicka (B, 28). Sans ralentir le pas, sans un regard de côté, elle fait de la haie des caméras ce que François d'Assise avait suggéré de faire de la vie: un désert à traverser pour atteindre la Terre promise.

J'ai tout de même le temps de la voir: grande, mince, élégante et belle, d'une beauté que les photos n'arrivent pas à rendre. Et elle dégage une autorité qui impose le respect. Aussi je n'arrive pas à comprendre comment, dans l'escalier qui monte à la pièce des apparitions, deux Italiennes ont pu la prendre d'assaut, lui baiser les mains et lui sauter au cou pour l'embrasser.

Se voyant coincée, Marija a croisé les bras comme Jeanne d'Arc au bûcher et reculé dos au mur, réussissant à atteindre le haut de l'escalier en frôlant la paroi.

On a dit qu'elle est timide. À la messe qui va suivre, elle va prouver le contraire en faisant la lecture d'une voix forte et solide. Mais elle est douce, Marija. Et lucide. Aussi, tout en refusant le culte adressé à sa personne, elle n'aura jamais d'autre moyen de résistance que la non-coopération non-violente du Mahatma Gandhi.

V

LE TABAC

Le 9 mai. Ce matin, la pluie a cessé. Après le repas de midi, Iva et Mirjana vont partir aux champs, mettre en terre les plants de tabac qui attendent dans la serre. Je parle d'aller les aider. Elles se regardent, hésitent et Anđelko intervient:

— *Iva i Mirjana rade, Liza gleda, Anđelko čuva bebu.* Iva et Mirjana travaillent, Lise regarde, Anđelko garde le bébé.

Il souffre encore beaucoup de la jambe droite et le travail aux champs lui est interdit. J'essaie d'insister, j'explique que je peux apprendre. Peine perdue. *Liza gleda.* C'est Dalibor qui me conduira, au retour de l'école, vers deux heures.

Mon jeune guide est alerte et attentif à la vie discrète de la campagne. Il me montre les coquelicots, m'explique la culture du tabac, me présente sa chèvre au pâturage, m'enseigne le croate.

Il me cueille un iris. Quelle attention!

Lorsque nous arrivons au champ de tabac, la pluie a repris, fine et froide. Iva et Mirjana sont déjà loin dans le sillon. Les plants sont droits, solides et bien en ligne. Du travail bien fait. Je suis en admiration: *"Lijepo! Vrlo lijepo!* Beau! Très beau!"

Mirjana se retourne, moqueuse:

— Beau à regarder! …

Iva sourit sans rien dire. Elle avance, penchée, la terre rouge collée aux souliers, enfonçant les pousses vert tendre.

Un trou, un plant, et la terre qu'on presse. Puis, à trois largeurs de main, un autre plant dans un autre trou, jusqu'au bout du sillon. Ensuite prendre l'autre sillon, jusqu'à l'heure du café qui arrivera au milieu de l'après-midi. Et le travail continuera jusqu'au soir et recommencera demain jusqu'au soir, et jusqu'au dernier plant du dernier sillon ...

La pluie tombe toujours. Je rentre. Le soir, elles reviennent lasses, mais n'arrêtent pas. Elles préparent le repas, s'asseoient, reprennent leur souffle pendant le *Credo* et les sept *Pater*, *Ave*, *Gloria* récités à table avant de manger.

Puis, c'est le silence jusqu'à la fin du repas, un silence dont personne ne demande les raisons.

Demain matin, la journée reprendra à cinq heures et demie. Une voisine aidera à planter le tabac. Mais ce soir, avant d'aller dormir, il reste le pain à faire: Iva se lève en silence et disparaît dans l'autre pièce.

VI

IL PLEUT SUR MEĐUGORJE

Jeudi, le 9 mai. Le soir tombe et je reviens de la messe sous la pluie. Il pleut depuis lundi. Mon parapluie n'arrive pas à sécher. L'humidité s'est installée. On glace dans l'église dont les portes sont toujours ouvertes. Les maisons n'ont pas de chauffage, les vêtements sont pénétrés. J'ai fini par porter en permanence tout ce que j'ai de lainages dans mes valises.

Les tons de gris aplatissent le paysage.

Chez Anđelko, les Italiennes n'en finissent plus de se réchauffer au café espresso, qu'elles préparent dans une cafetière apportée d'Italie.

Pas un coin où l'on pourrait se retirer pour lire, méditer ou prier. À l'église, c'est le va-et-vient; chez Anđelko, c'est le traffic des pèlerins slovènes. Il y aurait la terrasse du restaurant, mais elle est ouverte aux quatre vents.

L'église est normale, la statue de la Vierge est un mauvais chromo — Vicka s'est esclaffée: "La statue!" (B, 49) — , la prière est austère. C'est un chapelet ordinaire, suivi d'une messe ordinaire, et d'une très ordinaire prière pour les malades. Il n'y a pas de lampions, pas de béquilles, pas de miracles. Dire que, chez le Padre Pio, en 1958, on croisait chaque jour une bonne dizaine de miraculés authentiques!

Pas de colonne lumineuse à Križevac, pas de danse du soleil, pas de guérisons. J'ai fait vingt heures de voyage pour venir voir deux montagnes normales et une église de style néo-roman où se déroule la même liturgie post-conciliaire qu'à Montréal, Canada. Qu'est-ce que j'ai pensé? Et j'en ai pour un mois ...

Il y a quatre jours que je médite misérablement, comme une poule qui gratte. Il m'a semblé que mes prières ne traversaient

Darko, fils de Gojko. L'équilibre quotidien: savoir passer du lycée aux champs.

pas le plafond des nuages et que ma Mère du Ciel avait tant à faire que je n'arrivais pas à attirer son regard. Venue à Međugorje pour apprendre à prier, j'ai fini par apprendre à endurer. *Aguantar*, disent les Mexicains. Rester là sous la pluie, marcher même s'il pleut. Mais curieusement, l'idée d'avoir duré m'apporte une sorte de paix.

La pluie a cessé. Je ferme le parapluie. Un rayon de soleil passe entre deux nuages, éclairant le chemin. Je me retrouve à douze ans, revenant du mois de Marie dans mon village natal. Même sérénité, apportée par la prière. Je pense à la phrase de Carl Jung: "Les personnes les plus sereines que je connais sont les mères de famille du Mexique, parce que leur croyance en l'au-delà donne au moindre de leurs gestes une portée universelle et cosmique" (*Man and His Symbols*).

Le moindre geste: les crêpes d'Iva, le vin d'Anđelko, le café turc de Mirjana: dévouement quotidien.

Continuellement notre Dame intercède et souffre pour les pécheurs près de la grande croix de Križevac (K, 86): dévouement quotidien.

Chaque soir depuis le 24 juin 1981, maîtresse d'école quotidienne, elle instruit les voyants par petites leçons: "Lisez la Bible chaque jour en famille, dit-elle (message du 18.10.84). Chaque jour, essayez de vous débarrasser d'un vice (message à Jelena, le Mercredi des Cendres, 20.02.85, dans LS, oct. 85, 68). Que la prière soit votre nourriture de chaque jour" (message du 30.05.85).

Chaque jour … Non pas le torrent qui emporte mais la pluie qui féconde. Pour un saint Paul tombé de son cheval et aventurier de l'Évangile, des millions de chrétiens à vocation quotidienne, telle la mère d'Ivanka, partie pour l'au-delà en mai 1981. "Elle est heureuse avec moi" a dit notre Dame. Or c'était une mère de famille qui avait vécu au jour le jour (LR, 37).

Bénie soit la pluie qui tombe depuis lundi, et dont la terre avait soif!

VII

LE PAIN DE JEÛNE

Vendredi le 10 mai. Ce matin, au petit déjeuner, j'ai sur la table un morceau de pain dans une assiette et un verre d'eau. ''Jeûnez au pain sec et à l'eau'' dit Gospa (B, 59). Pas de confiture, pas de fromage, pas de café. La maison jeûne. Cet après-midi arriveront deux groupes de pèlerins. Alors Anđelko me dira, à l'heure du souper:

— Liza, explique-leur que, le vendredi, nous jeûnons.

Il est assez facile de se priver à Međugorje, car c'est la paroisse entière qui se met au pain et à l'eau. ''Tout le monde jeûne, à quelques exceptions près, même les enfants'' (L, 23). Et cette paroisse passe la journée aux champs ou aux travaux domestiques. Alors le bon pèlerin comprend vite qu'on ne lui en demande pas beaucoup.

Vendredi prochain, à l'heure du midi, Krešo m'offrira du pain de jeûne. Avec un verre de vin:

— Tu es épuisée. Ça va te remonter.

Compassion. Les jours de jeûne, Iva nous sert le pain chaud: compassion.

Pourquoi jeûne-t-on à Međugorje ? Pour les mêmes raisons que tous les chrétiens du monde: pour chasser Satan. ''Il est enragé après ceux qui jeûnent'' dit notre Dame (message du 15.8.83, dans LR, 101).

Mais il y a plus. ''Vivez surtout le jeûne, a-t-elle ajouté, car avec le jeûne, vous obtiendrez et me ferez la joie de voir se réaliser intégralement le plan de Dieu pour Međugorje '' (message du 26.9.85).

Iva. Sur la fenêtre, le pain de jeûne.

Recette du pain de jeûne:

1 1/2	tasse de gruau
1/2	tasse de son
2	tasses de farine de blé
2	cuillerées à thé de soda
1	cuillerée à thé de sel
3	cuillerées à table de mélasse ou de miel
2 1/2	tasses de yogourt

CUISSON

1   Cuire au four à 450°F (180°C) pendant 15 minutes.

2   Continuer la cuisson à 400°F (160°C).

Avec un moule à pain:	Avec un moule à gâteau:
cuire 30 à 45 minutes	cuire 15 à 20 minutes

— *Je li to gospa*? C'est la madone?
— *Jest*. C'est elle.

VIII

LA COLONNE LUMINEUSE

Le 11 mai. Le coq a chanté. Il est peut-être six heures et demie. Le soleil est levé mais l'air est encore frais. De ma chambre, j'entends à peine la voix calme d'Anđelko dans la cuisine.

Soudain un cri aigu retentit dans la cour:

— Vite! Vite! Sortez!

L'appel est urgent:

— Vite! Sortez tels que vous êtes! Ne prenez pas le temps de vous habiller! Venez, tous!

Je saute du lit et me retrouve en pyjama sur le balcon de l'étage.

Simone*, le guide du pèlerinage français, est au beau milieu de la cour, s'agitant dans tous les sens, pressée de nous voir apparaître. Des femmes sortent à la course, ébouriffées, en robe de nuit, cherchant à savoir.

Simone est impatiente:

— Venez!

La poule est là, retrouvant son calme en rassemblant ses poussins. Le cochon n'a eu connaissance de rien.

Iva et Anđelko m'aperçoivent et ne peuvent s'empêcher de rire. Je réalise ma tenue et je retourne mettre une robe de chambre et des pantoufles.

— Venez! Venez tels que vous êtes!

---

* pseudonyme

Tout le groupe s'engage entre les bâtiments pour gagner en hâte le champ du voisin.

À quelque distance, une femme de Bijakovići est à genoux en plein champ, les yeux rivés sur Križevac. Elle prie, les mains jointes.

À l'endroit précis de la grande croix de béton, et au lieu de cette croix, nous voyons un globe blanc lumineux, surmonté d'une colonne blanche, lumineuse elle aussi. Le globe et la colonne font la hauteur de la croix.

— Ça ne se peut pas!

— Nous n'avons jamais vu ça.

— Je la vois tourner autour de la colonne. Vous la voyez, Lise!

— Je vois une colonne lumineuse sur un globe lumineux, mais je ne vois pas la Vierge tourner autour de la colonne.

— Ah!...

Glenn regarde dans le viseur de sa caméra vidéo. Il ne voit rien.

— Mais vous voyez la croix!

— Non, rien. Absolument rien.

Le groupe entier met l'oeil à la caméra: ni globe lumineux, ni colonne lumineuse, ni croix, ni socle, ni rien.

— Miracle!

— C'est pour nous, les Françaises! C'est une délicatesse de Marie pour notre groupe qui repart pour la France demain.

Nous distinguons facilement un globe surmonté d'une forme humaine, l'un et l'autre ayant les mêmes proportions que la Vierge de la médaille miraculeuse de la rue du Bac, à Paris.

Les gens disent ''la colonne'' mais c'est inexact. D'ailleurs, quand ils la décrivent, ils parlent toujours d'une personne: ''C'est comme si Marie nous regardait'', ''elle tend les bras'', ''elle prie les mains jointes''.

Il serait juste de dire: une forme élancée comme les sculptures de Notre-Dame de Chartres. Le blanc du globe est mat, celui de la grande forme est nacré. Les deux sont opaques et lumineux; on ne pourrait confondre avec une sculpture, même de matière blanche comme le marbre. La colonne et le globe ne rappellent pas non plus un nuage. Ils sont opaques, denses, consistants, définis.

Nombre de personnes ont vu la colonne lumineuse. "De la croix, rapporte Kraljević, se dressait une grande colonne lumineuse et blanche, très vite transformée en statue aux contours féminins, femme aux mains étendues, regardant vers l'église de la paroisse. L'apparition dura une demi-heure" (K, 97).

Une autre fois, le 22 novembre 1982, vers cinq heures du soir, au moins soixante-dix personnes ont vu la silhouette de notre Dame près de la Croix de Križevac. Le lendemain, Vicka lui demandait si c'était bien sa silhouette (B, 106):

— Est-ce vraiment vous?

— Vous ne m'avez pas vue, mes anges?

La femme croate est toujours à genoux; elle prie silencieusement. Notre voisin n'a pas parlé. Il regarde calmement vers Križevac. Qu'en pense-t-il?

— C'est Gospa.

— Avant les apparitions, pouviez-vous voir cette colonne lumineuse?

— Non, seulement depuis 1981.

Nous repartons. Le voisin nous suit lentement. La colonne lumineuse est là sur Križevac, mystérieuse, inexpliquée par la science, objet de savantes controverses pendant que, dans les champs, une femme agenouillée prie la Vierge en silence.

* * *

J'ai revu la colonne lumineuse le 17 mai — c'est Iva qui m'a appelée tôt le matin pour me la montrer —, puis le 29 mai, vers sept heures du matin, dernier jour de mon pèlerinage à Međugorje, sur le chemin de Križevac.

Au moment où j'apercevais la colonne lumineuse, je croisai la voisine qui me salua chaleureusement:

— *Hvaljen Isus i Marija!*

— *Hvaljen Isus i Marija!*

La voyant regarder vers Križevac, j'en profitai:

— *Je li to Gospa?* C'est la Madone?

— *Jest* *. C'est elle.

Elle m'aurait dit l'heure, que le ton n'aurait pas été plus calme.

— Depuis quand voyez-vous la colonne lumineuse?

— Depuis 1981.

— Vous ne l'aviez jamais vue auparavant?

— Non, seulement lorsque les apparitions ont commencé. C'est notre Dame ...

---

* littéralement: est.

La Vierge de la médaille miraculeuse de la rue
du Bac, à Paris.

IX

LA MÉDAILLE ÉPINGLÉE

Le 11 mai 1984. Il est quatre heures de l'après-midi et j'attends quelqu'un près du presbytère. De l'autre côté du chemin, une femme de Međugorje m'a remarquée. Nos regards se croisent. Elle sourit, traverse la rue, arrive jusqu'à moi et m'épingle une belle médaille de la Vierge des apparitions.

— Porte toujours cette médaille durant ton séjour ici et Gospa va te protéger. C'est *Kraljica Mira*.

Kraljica: Reine, *Mira*: de la Paix.

Elle me serre chaudement la main et me laisse.

Je n'ai pas revu cette dame. *Kraljica Mira* ne m'a pas laissée, jusqu'au jour où j'ai vu s'effondrer devant moi une femme prise d'arthrite rhumatismale. Littéralement désemparée, je lui ai donné cette médaille. Immédiatement elle a retrouvé la sérénité.

Le 14 avril 1982, Mirjana a vu Satan. Travesti en madone, il lui a offert la belle vie en ce monde. Par après, la Vierge lui a expliqué que cela arrivait pour qu'elle ait une preuve tangible de l'existence de cet être, dont elle devait se protéger par la prière, le jeûne, l'eau bénite et les objets bénits, placés dans la maison ou portés sur elle-même (BB, 14).

X

LE PLUS BEAU CADEAU

Dimanche, le 12 mai. À la campagne, c'est le dimanche que l'homme, selon le voeu et l'exemple du créateur, reprend son souffle (*Exode*, 23, 12).

S'il y a fête, c'est le midi, afin que les invités puissent repartir vers trois heures.

Je reviens chez Anđelko avec Mirjana, sa belle-fille. Nous avons fêté les Rogations dans sa famille, au canton de Miletina. Son père est un de ceux qui ont donné leur lit au visiteur, pour coucher lui-même dans la cuisine. Il m'a reçue comme sa fille:

— L'an prochain, c'est ici que tu reviendras rester.

Une sympathie profonde est née de part et d'autre avec la mère, les soeurs, le frère et les amies de Mirjana. Le banquet était réussi, l'amitié réconfortante. Nous revenons comblées.

Il n'y a personne à la maison. Nous nous asseyons un instant dans la cuisine, peut-être pour goûter encore à la sérénité du dimanche après-midi. Cette semaine, les roses ont éclos partout, en rose, en rouge. L'air est parfumé. Mirjana est heureuse:

— Liza, les gens qui viennent ici nous apportent de beaux cadeaux. Mais c'est toi qui nous a donné le plus beau.

J'essaie de cacher un certain malaise. J'avais bien dans ma valise de modestes objets que j'ai distribués durant ma première semaine ici, mais je n'y vois pas ''le plus beau cadeau''...

— Toi, tu as pris la peine d'apprendre notre langue … Et tu parles avec nous.

La sérénité: l'état d'âme du soir.

XI

VOIX DE FEMMES À BIJAKOVIĆI

Le 12 mai. Le dimanche, après l'office du soir, les gens sont calmes sur la route de Bijakovići. Je vais seule, ayant tout mon temps. Un dimanche bien rempli apporte la paix. En italien, soir se dit *sera*. Bonsoir, *Buona sera*. La sérénité: l'état d'âme du soir.

Derrière moi, un groupe de filles parlent doucement, comme pour entendre, au-dessus des phrases, les derniers chants d'oiseaux. Deux autos nous dépassent lentement, puis la route est à nous. L'air est calme, on y entend le rythme des pas.

Au carrefour de Bijakovići, les femmes qui allaient devant moi ont pris à droite et je les ai perdues de vue. Lorsque j'arrive à la fourche, au moment de tourner moi-même à gauche, j'entends un chant à voix mixtes. Des voix de femmes.

Pour entendre, arrêter. J'écoute. La mélodie est belle, l'harmonie slave, les voix droites. Les filles m'ont rejointe et s'arrêtent.

— C'est bien ces femmes que j'entends!

— Oui, oui.

— C'est très beau!

— Oui.

Le chant continue. Elles sont quatre, peut-être cinq. La mélodie arrive jusqu'ici, sonore. La phrase monte, emplit la campagne et, sur la dernière ligne du refrain, redescend dans Bijakovići.

Les femmes ont disparu au tournant. Le soir tombe sur la rue déserte.

XII

INVITATION AU DERNIER MOMENT
APPARITION À PODBRDO

Le 13 mai. Une fois ma décision prise d'être à Međugorje au mois de mai, le 13 s'était imposé comme un des grands moments du séjour. C'est en effet la date de la première apparition de Fatima.

J'avais d'abord espéré assister, par une faveur insigne de Marie, à l'apparition dans la petite pièce de l'église. Pour savoir comment m'y prendre, j'avais même fait, au mois de mars, un voyage à Québec pour rencontrer le Père Bernier, r.s.v., qui m'avait expliqué que les apparitions n'avaient plus lieu à l'église, mais dans une des pièces du presbytère, où l'entrée était strictement interdite, sauf, de temps en temps, à des prêtres choisis par le père Slavko: ''Je sais que les enfants vont prier le soir sur la colline de Podbrdo où la Vierge apparaît. Vous pourriez essayer de ce côté.''

À peine installée chez Anđelko Ostojić, j'ai donc essayé de savoir, d'abord par Mirjana:

— Tu sais quel jour ont lieu les apparitions de Podbrdo?

Elle n'a pas aimé cette question, je l'ai bien vu. Mais j'ai insisté, et ce soir, mercredi le 8, elle se décide à venir à l'église avec moi.

Après la messe, elle retrouve ses amies. Je reste à part, les laissant à la joie de se revoir. Puis, Mirjana pose sa question. Discussion, hésitations, regards de mon côté, longs silences. Et Mirjana revient vers moi.

— Mon amie te suggère d'aller lundi avec le groupe d'Ivan.

Où et à quelle heure? Je le demanderai plus tard. Encore cinq jours à attendre. Mais j'ai une réponse et décide de ne pas insister.

Podbrdo, cette colline quelconque dont le Ciel fait ce soir le sommet du monde.

Durant la semaine, j'essaie de savoir l'heure et le lieu des apparitions, mais plus le temps passe, plus le mystère s'épaissit, comme si elle regrettait d'en avoir trop dit. J'ai l'impression qu'on a décrété dans cette maison une consigne du silence. Toutes mes questions n'ont qu'une réponse: *Ne znam*: je ne sais pas.

Et la semaine passe. Nous sommes lundi le 13, il est midi et je ne sais toujours rien. En désespoir de cause, je prends la pauvre Mirjana d'assaut:

— Dis-moi au moins le nom de ton amie ...

— Darija Pavlović*.

Je ne peux rien faire cet après-midi. Mais je partirai pour arriver bien avant la messe, je trouverai Darija Pavlović et je saurai la convaincre. Et l'après-midi s'envole.

Au moment précis où je passe le seuil de la porte, je me retrouve devant Debbie *, une Canadienne de Vancouver en pèlerinage à Međugorje. Je sais exactement ce qu'elle va me demander:

— Lise, tu parles croate. Il faut que tu téléphones à Dubrovnik pour organiser mon voyage à Athènes. *Please*!

Si je l'aide, aussi bien mettre une croix sur mes chances d'assister à l'apparition que je demande et prépare tous les jours depuis cinq mois. Et si je l'abandonne, j'aurai l'air de quoi devant notre Dame?

Je mets tout en oeuvre. Mais lorsque les réservations sont faites et que Debbie peut partir en paix pour Athènes, il est six heures moins quart et les prières commencent à six heures.

Iva nous offre un café, Debbie accepte avec empressement. Elle s'asseoit, détendue, contente de ses réservations. Je reste debout, la mort dans l'âme. Maintenant, je suis sûre de ne pouvoir rencontrer Darija Pavlović avant la messe.

Doreen et Glenn, mes compatriotes de Moncton, partent pour l'église:

— Viens-tu?

---

* Pseudonyme

64

— Je ne sais pas. Je voulais partir avant pour essayer d'assister à l'apparition de ce soir, mais j'ai dû servir d'agent de voyage.

Je n'ai pas réussi à parler sur un ton détaché. Debbie se rend compte de ma déception:

— Écoute, je réalise que je t'ai accaparée. Mais il faut faire quelque chose. Je connais le prêtre de Toronto qui dirige le groupe des pèlerins charismatiques. Il est dans les bonnes grâces de Soeur Janja. Essayons de le voir en sortant de la messe. Lui va savoir quoi faire.

Nous arrivons durant le deuxième chapelet. Il est presque sept heures moins vingt. Nous prenons les dernières places.

Debbie est une fille vive, intelligente et spontanée. Elle veut comprendre ce qui se passe et une question n'attend pas l'autre. Respectueux du lieu saint, les Croates nous regardent de travers. Mais elle ne s'aperçoit pas que je fonds de honte et continue comme si de rien n'était.

Le chapelet s'est arrêté. Il est sept heures moins vingt. Dans le micro, la voix du père Slavko:

— En ce moment même, les enfants commencent les prières avant la venue de Marie. Nous allons nous mettre en silence durant l'apparition.

Ceux qui sont assis s'agenouillent. L'église s'immobilise. C'est le recueillement, le silence, la lumière du soir. Plus rien. Marie va venir; il y quatre ans qu'elle est au rendez-vous, mais on l'attend avec autant de ferveur que les premières fois.

Le silence dure deux, puis trois minutes. Debbie n'y tient plus:

— Pourquoi le silence?

Deux femmes de Međugorje se retournent. Le plus bas possible, je lui explique que la Vierge apparaît aux voyants dans une des pièces du presbytère.

Puis je fais une prière: "Ô Marie, en ce 13 mai que je prépare depuis des mois, je n'aurai même pas eu quelques minutes de silence en ta présence! Je t'offre mon désappointement."

Zdravo Marijo, milosti puna...

Je te salue, Marie, pleine de grâces...

Le chapelet reprend où il s'est arrêté. Suit l'Eucharistie.

À la sortie de la messe, j'essaie de voir Darija Pavlović et le groupe des jeunes; Debbie cherche le prêtre torontois. Peu à peu la place de l'église se vide. Restent deux groupes: Debbie discutant avec le prêtre de Toronto, et Glenn, Doreen et moi qui nous regardons sans rien dire. Mais nous n'allons pas passer la nuit ici:

— Le 13 mai ne passera pas sans que je fasse quelque chose de spécial. Je monte à Križevac: voulez-vous venir avec moi?

Glenn et Doreen sont des réalistes:

— Mieux vaut peut-être manger d'abord quelque chose. Nous irons après.

Nous cherchons Debbie: elle n'est plus là. C'est bel et bien fini pour assister à une apparition à Podbrdo. Nous retournons chez Anđelko pour le repas du soir. Lorsque nous sommes prêts à partir, il est dix heures. C'est tard.

Alors Debbie arrive en courant, essouflée, et dit tout d'un trait:

— La Sainte Vierge apparaît à Podbrdo à onze heures!

Elle est entrée en coup de vent, n'a vu ni Iva, ni Anđelko ni Mirjana, ni Glenn ni Doreen. Elle reste plantée debout au milieu du patio:

— Soeur Janja a demandé d'avertir les Canadiens.

Nous nous levons pour aller chercher les Canadiennes d'Alberta chez Bosa, la voisine. Tout a été dit en anglais. Anđelko, Iva et Mirjana ne comprennent rien à ce qui arrive et nous regardent partir bouche bée.

Puis, le groupe se hâte vers Podbrdo. Nous sommes envahis par une grande joie. Est-ce possible? Je souris à Debbie; elle est heureuse, mais elle devient pensive:

— Soeur Janja a dit: ''Avertissez seulement les Canadiens.'' Elle avait le coeur brisé de ne pas inviter les Américains, surtout qu'elle a de la sympathie pour eux depuis qu'elle a vécu à New York.

Il faut éviter les rassemblements à Podbrdo. Je pense qu'elle a fait un spécial pour les Canadiens, car il était évident qu'ils ne venaient pas en curieux. Ils ne faisaient que prier.

Au bout de vingt minutes, nous entendons des voix. Nous arrivons au sommet de Podbrdo. On dit le chapelet. C'est un jeune qui récite. À une vingtaine de mètres, j'aperçois la croix peinte en blanc. Il me faut arriver jusque-là.

Je passe lentement entre les groupes. La prière est recueillie et fervente. Je n'arrive pas à avancer sans faire de bruit. Dans une telle atmosphère de recueillement, c'est indécent. Je m'apprête à trouver un endroit où m'agenouiller, lorsque j'entends un bruit de pierres derrière moi. Deux silhouettes nous dépassent dans la nuit, se dirigeant vers la croix: la soeur Janja et une autre soeur. C'est ma chance. Je les suis pas à pas et j'arrive tout près de la croix.

Une croix blanche dans la nuit noire. Soeur Janja et l'autre religieuse se sont agenouillées complètement à droite: deux ombres recueillies.

Le chapelet s'arrête: un silence qui pénètre, mais quelque chose de plus. L'air est immobile, le ciel est rempli d'étoiles, le regard porte jusqu'à l'infini.

Oče naš, koji jesi na nebesima ...
Notre Père qui es aux Cieux ...

C'est la voix d'Ivan et deux voix de femmes: Marija et Vicka.

...Na nebu tako i na zemlji...
... sur la terre comme au Ciel...

Les voix s'éteignent: notre Dame est ici. Nous, pèlerins, ne l'avons pas vue arriver. Mais nous savons — Vicka l'a dit — qu'il y a eu "d'abord une lumière ressemblant à un corps humain. Et notre Dame était là, claire comme le soleil" (B, 120). Maintenant elle entonne le *Pater*, mais nous ne l'entendons pas (LR, 107). Ivan, Marija et Vicka continuent:

...koji jesi na nebesima...
...qui es aux Cieux...

Les voyants récitent le *Pater* entier. Suit le *Gloria*.

De nouveau, le silence. Et, dans la nuit immense, les voyants: trois ombres en extase et la croix blanche.

À ma droite, Soeur Janja s'est prosternée front contre terre. Partout, les étoiles, et avec nous, sur cette colline quelconque dont le Ciel fait ce soir le sommet du monde, la Mère de Dieu.

— *Ode...* Elle est partie.

Un silence de quelques secondes.

On s'approche d'Ivan. Il parle au cercle intime des jeunes de Međugorje. Nous cherchons à savoir ce qu'il a dit. Le père Kraljević s'approche et nous demande en anglais:

— Avez-vous compris le message? Ivan dit que la Vierge semblait plus joyeuse que d'habitude. Elle a béni tout le monde une fois, puis chacun en particulier. Ivan dit que c'est spécial. Elle a dit que ces jours-ci sont des jours de grâces et que nous ne réalisons pas les grandes grâces que Dieu veut nous donner. Elle a dit de prier davantage pour ouvrir notre coeur et recevoir l'Esprit Saint.

Je pense au récit de l'Ascension: ''Jésus s'éleva et une nuée vient le soustraire à leurs regards. Quittant alors la colline appelée Mont des Oliviers, les disciples regagnèrent Jérusalem. Ils montèrent dans la chambre haute de la Dernière Cène. Tous unanimes étaient assidus à la prière, avec quelques femmes dont Marie, la mère de Jésus'' (*Ac.* 1, 9-14).

Doreen s'approche avec Glenn, Debbie et les deux Canadiennes. Doreen a senti un parfum pendant l'apparition:

— En y pensant, c'est au moment même où la Vierge m'a bénie.

Nous avons été bénis par Marie en personne ... le 13 mai. De quoi réchauffer le coeur durant une vie. Et notre Dame nous a envoyé chercher au dernier instant, trois quarts d'heure avant sa venue, chez Anđelko Ostojić et Bosa, par Debbie!

XIII

CHEMIN DE CROIX À KRIŽEVAC

Le 17 mai. Dans moins d'une heure, il sera midi. J'avais décidé d'aller tôt ce matin faire un chemin de croix à Križevac, mais j'ai eu le sort de Simon de Cyrène: "Ils le requirent pour porter la croix" (*Marc*, 15, 21).

La croix du pèlerin de Međugorje, c'est le croate. Et j'ai passé la grande avant-midi à traduire du croate. Et le soleil avance irrémédiablement vers midi, chauffant la route sous mes pas. Et béni soit le pèlerin de Međugorje!

De Bijakovići, Križevac est là, droit devant. Mais aussi du presbytère, du bureau de poste, du cimetière, et de chez Vicka. À Međugorje, la croix de Križevac est inévitable. "La croix est le signe de votre salut" dit Gospa (B, 105). L'inévitable signe de notre salut …

Au pied de la montagne, en bordure de la route, une éclaircie dans les buissons indique le sentier qui mène à la première croix. Je commence la montée, avec la certitude d'être accompagnée par notre Dame:

"Une fois, dit Vicka, Elle nous a dit qu'elle était souvent à Križevac auprès de la croix et priait son Fils de nous pardonner nos péchés."

— Križevac est donc son endroit préféré? a demandé Janko Bubalo.

— Oui, elle nous l'a dit plusieurs fois (B, 106).

Voici la première croix, plantée dans le roc de Križevac, simple tronc d'arbre ébranché de trois mètres, auquel on a fixé une traverse. L'arbre était jeune: quinze ans peut-être.

La croix de Križevac: l'inévitable signe de notre salut.

Première croix, première station: l'arbre était jeune.

Un grand lézard vert était là, immobile et nerveux, agrippé à la paroi rocheuse. Mon pied bouge une pierre. La ligne verte luit au soleil et s'éteint dans l'ombre.

Ombre et lumière ... Là où est la Rédemption, l'Autre rôde: notre Dame l'a confié à Vicka (B, 71):

— Mon Fils lutte pour chacun de vous, mais Satan se bat lui aussi. Il rôde autour de vous, vous pose des pièges.

Et comme si cela ne suffisait pas, le Ciel a permis qu'il apparaisse en personne à Mirjana. Ce sont ses propres paroles (F, 69):

La porte fermée à clé, je commençais à attendre notre Dame. Il y eut un éclair de lumière et un diable apparut, noir, avec quelque chose d'épouvantable. Je m'évanouis. Quand je revins à moi, il riait. Il commença à m'expliquer que je serais plus belle et plus heureuse que les autres que je n'avais pas besoin de notre Dame, qu'elle ne m'apportait que souffrances et difficultés. Quelque chose en moi disait: "Non! Non! Non!" J'ai commencé à trembler. Je ressentis un véritable tourment.

Il disparut. Notre Dame me rendit ma force et m'aida à comprendre ce qui venait d'arriver:

— C'est un dur moment mais ça va passer.

Cinquième station
Simon de Cyrène porte la croix de Jésus

"Ils le requirent." Pas le choix, c'est l'armée de Rome qui commande. À Međugorje, Gospa suggère: "Je voudrais mener cette paroisse" (message du 1.3.84). Au conditionnel. Si vous le voulez bien. "J'ai besoin de vos prières" (message du 13.9.84). Mais vous êtes libres.

Sixième station
Véronique essuie le visage de Jésus

Le Croate ou quelque autre étranger catholique
Qui vient pieusement voir notre Véronique,
Contemplant cet objet d'un antique respect,
N'en peut rassasier ses yeux; à son aspect

Il songe: "C'est donc vrai! votre face mortelle,
O véritable Dieu, Seigneur Jésus, fut telle!*

C'est Vicka qui parle: "Lorsque Jésus apparaissait comme adulte, le plus souvent, c'était horrible. Il était couvert de sang et de crachats, plein de blessures. Horrible! Je te dis: une fois, nous avons tous éclaté en sanglots quand nous l'avons vu" (B, 109).

Maintenant j'ai la conviction intime qu'il y a une grâce de Križevac, qui donne le courage de regarder en face l'horreur inévitable de notre salut sur le visage même de notre Sauveur; qui fait, en second lieu, éprouver une immense reconnaissance et engage définitivement à tout mettre en oeuvre pour que tant de souffrances ne soient pas vaines.

Douzième station
Jésus meurt sur la croix

"Au début de 1982, la Vierge a été vue par des pèlerins et des prêtres en position d'orante sous la croix de la colline Križevac. Le père Vlašić pria les enfants de demander à la Vierge si c'était bien elle et si elle priait. Voici la réponse: 'Il est normal que je prie sous la croix. La croix est le signe du salut. Mon fils a souffert sur la croix. Il a racheté le monde sur la croix. Le salut vient de la croix'" (K, 86).

Elle est donc ici. "Elle était debout" dit l'hymne de la fête de notre Dame des Sept Douleurs:

Stabat Mater ... Elle était debout ...
Elle avait de la douleur, Elle pleurait ...

Quel est l'homme qui ne pourrait s'attrister
En contemplant la Mère du Christ
Souffrant avec son Fils?

_____

* Dante, Le Paradis, dans *La Divine Comédie*.
C'est au Père Joseph-Charles Zanic, O.P., que je dois ce passage, qu'il m'a signalé quand il a lu mon manuscrit. Le texte original est:
103 Quale è colui, che forse di Croazia
    Viene a veder la Veronica nostra,
    Che per l'antica fama non si sazia,
    Ma dice nel pensier, fin che si mostra:
    Signor mio Gesù Cristo, Dio verace,
    Or fu si fatta la sembianza vostra?

Maintenant, c'est la fin. ''C'était environ la sixième heure, rapporte saint Luc, quand, le soleil s'éclipsant, l'obscurité se fit sur le pays tout entier, jusqu'à la neuvième heure. Le rideau du Temple se déchira par le milieu, et Jésus dit en un grand cri: 'Père, je remets mon esprit entre tes mains.' Et ce disant il expira'' (*Lc*, 23, 14).

Notre salut est accompli, reste une croix vide. Les trous des clous indiquent une absence: la nôtre. ''C'est par la Croix, dit notre Dame, que Dieu se glorifie en chaque homme'' (message du 23.11.84). Il y a de quoi effrayer: ''Seigneur, disait Habacuc, j'ai considéré vos oeuvres et j'ai eu peur'' (ch. 3). Ce n'est pas sans raison que la liturgie du Vendredi Saint reprend cette réflexion du prophète et demande ''que descende une large bénédiction, et que vienne l'intelligence …''

Pour cela, contempler: ''Le Samedi Saint (de 1983), rapporte Vicka, Jésus était couvert de sang aussi, mais derrière, on voyait un très, très beau visage. Marie a dit: 'Cest mon Fils. Il a beaucoup souffert, mais il est vainqueur!' Une fois, Jésus a parlé: 'J'ai beaucoup souffert, mais j'ai vaincu. Croyez fermement, priez, n'ayez pas peur, mes anges, vous vaincrez''' (B, 109).

Il est trois heures. Je redescends. De la neuvième station, on voit Podbrdo: l'autre montagne, la petite colline, modeste, plus accessible. C'est là qu'est d'abord venue notre Mère. Plusieurs fois, lors des premières apparitions, elle est apparue avec une croix de bois d'un mètre qui reposait sur ses bras étendus, ses paumes étant tournées vers le haut (B, 105). Le troisième jour des apparitions, elle avait une grande croix:

— La paix, la paix, rien que la paix. La Paix doit être rétablie entre Dieu et l'homme, et entre tous les hommes (B, 93).

XIV

LE VIN FRAIS

Le 18 mai. Je reviens de chez Vicka avec quatre Canadiens. La chaleur est étouffante et nous avançons sans parler, la gorge sèche, n'ayant qu'une pensée: arrêter, nous asseoir, boire quelque chose.

Au tournant de la route, à quelques pas devant nous, une femme sort de chez elle avec un cabaret de pâtisseries, suivie d'un garçon qui apporte une bouteille de vin. Nous ne comprenons pas que c'est pour nous et nous allons passer outre. Mais elle nous arrête:

— Voulez-vous des pâtisseries? Il y a aussi du vin frais.

Exclamations. "Incroyable! ... Jamais vu! ... C'est beaucoup trop! ... Nous ne pouvons accepter!" Mais elle insiste avec tant de gentillesse que nous aurions mauvaise grâce de refuser.

Les pâtisseries sont délicieuses et le vin exquis, mais plus encore le sourire de cette femme et de son fils. Nous lui disons que nous sommes du Canada, elle nous parle de son frère qui habite Toronto. Glenn lui fait enregistrer un message vidéo qu'il enverra à son frère. Elle le fait simplement, directement, impromptu, avec plaisir et sans faire de manières. Quelle leçon!

Et nous repartons sans avoir réussi à lui faire accepter un Dinar *. Quelqu'un dit: "Ça n'a pas de sens. Moi, je lui ai glissé quelque chose dans sa poche à son insu." Un autre n'est pas d'accord: "Vous n'auriez pas dû."

Mais qu'est-ce que cela fait? Lorsqu'elle trouvera l'argent, elle fera d'autres pâtisseries pour d'autres inconnus, qui repartiront réconfortés, avec quelque chose dans l'âme et peut-être — qui sait? — le désir d'acheter des médailles bénites par la Vierge de Međugorje, qu'ils donneront au retour à de purs inconnus ...

* US 1$ = 300 Dinars

XV

ANGELUS CHEZ ZORA

18 mai. Je ne circule plus incognito dans Bijakovići. Je passais vers onze heures et demie, ma voisine Bosa m'a invitée à prendre un café. Son mari est là, avec la belle Zora, sa fille. Assise à part et filant, la grand'mère, *Baba*.

À Bijakovići, les *babas* filent partout. Sur le pas des portes, dans les patios, dans les cuisines. C'est une institution. Les femmes tissent, les *babas* filent.

Filer. Le geste est millénaire. D'une masse de laine, tirer un fil. Avec douceur et attention. Autrement, il casserait. Le rouler pour lui donner de la force. L'enrouler sur le fuseau pour l'heure de la tapisserie.

Filer. D'une existence, tirer une vie chrétienne. Un fil. Cela commence au baptême, avec précaution. La Bible, les sacrements lui donneront de la vigueur. Ensuite, attendre. La Providence fera la toile. Vicka, Ivanka, Jakov, Marija, Mirjana, Ivan sont les fils. Međugorje est la toile.

Zora termine des études secondaires à Mostar et s'est qualifiée pour l'université. À dix-huit ans, c'est une fille d'une rare intensité humaine. Au retour de l'école, elle gagne le champ de tabac, pioche à sarcler sur l'épaule, si fraîche et si bien mise qu'on jurerait qu'elle part en excursion du dimanche.

Un soir que je l'ai vue ramener la vache sur la route de Bijakovići, je me suis pincée, tant l'impression était forte de me retrouver au cinéma: une vraie scène de princesse aux champs!

À l'église, on sonne l'*Angelus*. Bosa s'arrête et dit simplement:

— Ici, nous disons l'*Angelus*.

Bosa et Zora.

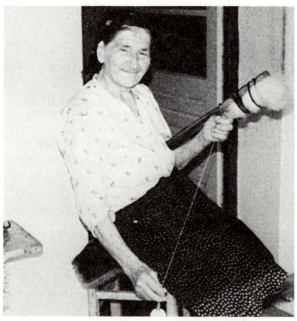

D'une masse de laine, tirer un fil.
Doucement, autrement il casserait.

Anđeo Gospodnji navijestio Mariji
i ona je začela po Duhu Svetom …

L'Ange du Seigneur annonça à Marie
Et elle conçut du Saint Esprit …

Au livre des Nombres, il est dit: ''Vous aurez un seul rituel pour vous et pour l'émigré qui réside chez vous; ce sera un rituel immuable devant le Seigneur, pour vous comme pour l'émigré, dans tous les âges…'' (Chap. 15, v. 15).

XVI

VICKA LIT L'*ALLELUIA*

Le 18 mai. La messe du soir est commencée. La liturgie avance, le célébrant dit l'Oraison. Les yeux se tournent vers la porte de la sacristie, où les voyants assistent à la messe, obéissant ainsi aux restrictions du pouvoir religieux. Dans quelques instants, deux d'entre eux viendront lire l'épître, le graduel et l'*alleluia*. C'est le compromis qu'on a trouvé pour que les pèlerins puissent les voir, ne serait-ce que le temps d'une lecture.

Les voici: Jakov et Vicka. Un remous traverse la nef. Parmi les gens de Međugorje, demeurés impassibles, les pèlerins étirent le cou. Deux femmes ont déjà pris l'allée centrale, caméra en main. Dans la nef, on photographie, ignorant l'interdiction sèche et formelle du célébrant qui n'apprécie pas du tout cette perturbation de la liturgie et le laisse savoir dans la réprobation d'un regard qui balaie l'assistance. En vain.

Vicka arrive, l'église s'éclaire. Dans leur façon de faire les lectures, Marija, Ivan, Ivanka ont opté pour le recueillement des ministres du culte. Jakov vient lire comme les joueurs de baseball vont au bâton: il attend son tour, s'exécute et se retire. Mais Vicka s'amène comme on entre à la noce, heureuse d'être ici, ravie de nous voir. C'est alors l'église entière qui lui sourit, comme si elle nous mettait tous en état de grâce.

En fait, elle nous bénit comme le Dieu du livre des Nombres (6, 22-27): "Que le Seigneur fasse rayonner vers toi son visage", c'est-à-dire, en traduisant l'hébraïsme, "qu'Il te montre un visage souriant" (note d, TOB).

Savions-nous que le sourire est une bénédiction? Le sourire de Vicka: la bénédiction de Međugorje ...

XVII

LA MESSE DES CROATES

Dimanche, le 19 mai. Il arrive onze heures, la messe va commencer. Traversant les grandes fenêtres du haut de la paroi de l'Évangile, la lumière blanche plonge dans la nef en larges faisceaux, éclairage baroque haussant au plan dramatique les instants d'attente du sacrifice de la messe.

Le noir et blanc des costumes croates vibre dans la lumière avec les couleurs vives des broderies.

L'église achève de s'emplir, rendue au peuple après une semaine d'occupation touristique, où les flashes de caméras l'ont disputé aux verres fumés, aux jeans, aux souliers de toile et aux pastels fondants.

Le temple a repris ses droits. L'Ange de Međugorje veille à l'entrée. Le Dieu des Croates reçoit: le costume folklorique a la noble beauté de la sagesse millénaire. Les jupes sont amples et les blouses ajustées; les hommes portent le costume des grandes occasions.

Pas de demi-mesure pour le Roi du Ciel. Jour du Seigneur, jour de fête. Le silence repose l'assemblée. Non pas le silence du vide, mais celui de l'attention, de l'adoration: un présent de l'intelligence. Un silence religieux.

Calmement, respectueusement, entrent des garçons dans la vingtaine, qui vont se placer à droite dans les premiers bancs. Devant la nef gauche, comme sans toucher au silence, un vieux prêtre s'est assis à l'orgue électronique, rejoint par une dizaine de jeunes entre seize et vingt ans, garçons et filles.

À la porte de la sacristie, le cortège apparaît. L'orgue joue, le chant sourd de toute la nef et emplit la voûte.

Cela apparaîtra peut-être comme un des événements majeurs du christianisme du vingtième siècle: qu'une paroisse entière accepte en toute liberté de porter, selon les paroles mêmes de notre Dame, une lourde croix pour sauver d'urgence le monde actuel.

Équarri à la hache, ce chant. Rocailleux comme Podbrdo, sans commune mesure avec les nuances de conservatoire. Il avance avec la force immense et calme d'un boeuf de labour, pénètre l'âme, en retourne les sillons.

Voix des femmes, hauteur; voix des hommes, profondeur; voix des vieilles, caractère; voix des enfants, lumière. Les timbres s'imposent, le choeur a du relief, les générations existent.

Le chant fait place aux lectures. Saint Pierre va parler:

> Soyez prudents, veillez et priez. Mais ayez avant tout un amour constant les uns pour les autres, une charité persévérante: car l'amour couvre une multitude de péchés. Exercez entre vous, sans murmure, l'hospitalité (*Première lettre*, ch. 4, 7-9).

L'hospitalité: ni le nom ni la chose ne leur sont étrangers, eux qui depuis quatre ans accueillent les pèlerins, donnent leur vin et l'eau de leur puits, couchent dans leur cuisine pour offrir un lit à l'inconnu qui abusera de leur générosité: "Nous prierons pour vous!"... Les choses en sont venues au point où il a fallu qu'un étranger s'en mêle et fixe un tarif minimum.

L'Évangile se termine, le célébrant va s'adresser aux fidèles:

— Pas de commerce avec les Tziganes. Si vous les encouragez, ils vont s'implanter.

Et l'hospitalité? Que dirait saint Pierre? Il vous rappellerait que la place de l'église n'est pas une foire, que les Tziganes ne sont pas ici pour se faire accueillir, que ce qui les intéresse, c'est le commerce, et qu'ils sont assez réalistes pour aller ailleurs si les affaires ne marchent pas à Međugorje.

En fait, ils ne partiront jamais vraiment, parce que les touristes ne vont pas à la messe du dimanche et ne parlent pas le croate. L'inconvénient de connaître la langue est d'être lié par la loi. Ma compatriote de Moncton ne saura donc jamais qu'elle enfreint la consigne en achetant aux Tziganes deux beaux Christs en croix sculptés à la main.

Le prédicateur hausse le ton:

— Vous, les parents, vous êtes responsables de vos enfants. Nous en avons vu quémander de l'argent aux touristes. Il n'en est pas question!

Que le peuple de Dieu vive debout, que les disciples soient à la hauteur du Maître. On a compris, on dira ce qu'il faut et tout rentrera dans l'ordre.

L'offertoire est un grand moment liturgique. De la sacristie, la procession, formée d'enfants, s'avance lentement vers l'autel.

Ils vont passer devant la nef gauche, avec un panier d'intentions, un gros pain rond, haut de trois doigts et qu'un enfant porte à plein bras, un pot de vin contenant un bon litre, un gros missel, un crucifix, une grande chandelle large d'une main, sur laquelle on a fixé une image de Marie, et des fleurs.

La table du sacrifice est préparée, les offrandes sont présentées au Créateur.

Sur la nappe blanche de l'autel, les rouges et les bleus profonds des motifs croates répondent aux broderies des costumes folkloriques. Le célébrant porte le blanc du temps pascal, qui se prolonge dans les soutanes et les camails des servants de messe.

L'encens monte dans la voûte, offrant une matière diaphane à la lumière tombant à larges rayons sur l'autel. Imperceptiblement, sa mystérieuse vertu pacifiante a pénétré toute la nef, situant le sacrifice au-delà des frontières terrestres.

Saint, Saint, Saint, le Seigneur
Dieu de l'Univers.
Hosannah au plus haut des Cieux!
Béni soit Celui qui vient
Au Nom du Seigneur!

L'assemblée s'est agenouillée. La voix profonde et calme du célébrant s'engage dans les prières du Canon, jusqu'aux longues pauses de la Consécration, où même un incroyant aurait l'évidence qu'il se joue ici un drame qui dépasse l'entendement humain.

"Vous ne pourrez jamais en comprendre la grandeur" a dit notre Dame (K, 86). Mais l'entrevoir, oui, en faisant comme ce peuple de Međugorje qui célèbre avec la conscience de répondre au destin spirituel de l'humanité contemporaine. Cela apparaîtra peut-être comme un des événements majeurs du christianisme du vingtième siècle: qu'une paroisse entière accepte en toute liberté de porter, selon les paroles mêmes de notre Dame, une lourde croix pour sauver d'urgence le monde actuel.

XVIII
CHEZ MARIJA

Le 20 mai. Il est dix heures du matin. J'accompagne Carmen *, directrice d'un groupe de pèlerins mexicains, auquel s'est joint Monseigneur Andrès Nazario du diocèse de Cuernavaca, et responsable de nombreux groupes de prière à Tepoztlan. Elle m'a cueillie au vol dans le parking de l'église.

— J'ai passé quatre mois à Međugorje. Je connais très bien les voyants, mais je ne parle pas la langue. J'aimerais les voir pour leur remettre des photos. Viens me traduire.

C'est la mère de Marija qui nous reçoit. Elle nous fait entrer dans sa chambre et nous laisse.

J'essaie de rassembler mon croate. Marija met du temps à venir; nous l'attendons en silence. Je suis frappée par l'ordre impeccable, le rideau fermé, la statue de la Rose Mystique, la même que chez Vicka. Discrétion, austérité, intimité: seule ou en public, Marija est la même.

Elle entre. Je multiplie les excuses, car il est évident que nous dérangeons. Elle m'arrête:

— Non, vous ne dérangez pas. Mais je travaille.

Cela, dit presque à mi-voix, me fait baisser le ton. Elle a reconnu Carmen, l'embrasse, reçoit avec plaisir les messages de tous les Mexicains passés à Međugorje durant l'année, et prend le temps de regarder les photos.

Elle sourit, commente un détail. Rien ne presse, comme si, en ce moment, regarder des photos était la chose la plus importante de la vie. Mais Carmen est venue pour autre chose:

---

* Les noms et les lieux du paragraphe sont des pseudonymes.

— Liza, que Marija demande à la Sainte Vierge si je dois venir travailler ici ou, au contraire, rester au Mexique pour répandre le message de Međugorje.

Marija réfléchit. Elle hésite:

— Je peux dire trois *Ave Maria* avec toi pour que Gospa t'éclaire.

En nous levant pour prier, nous réalisons que nous avons complètement oublié Mgr Nazario, qui s'est assoupi discrètement dans la pénombre. Un moment d'arrêt dans un agenda trop chargé, et la fatigue du voyage aura eu raison de lui. Carmen est mal à l'aise:

— Monseñor!

Marija intervient doucement:

— Nous avons un lit dans l'autre chambre, s'il veut se reposer.

Et voilà le pauvre homme pris entre la compassion de Marija et l'embarras de Carmen. C'est elle qui a raison de lui:

— Monseigneur, vous avez la chance d'être avec Marija. Avez-vous quelque chose de spécial à lui demander?

— Je retourne à Cuernavaca. Que me suggère-t-elle de faire?

Marija n'hésite pas une seconde:

— Répandez le message: Paix, conversion, jeûne, prière, vie sacramentelle. Peu importe la façon, répandez le message.

Elle se tourne vers la statue de la Rose Mystique, s'agenouille et ferme les yeux le temps d'un chant d'oiseau.

Elle est belle: ''Vraiment belle, écrit Kraljević, à cause de sa spiritualité profonde, de son esprit de prière et de son évidente humilité'' (K, 69). On ne peut mieux dire.

Doucement, discrètement, trois *Aves* montent au ciel pour l'Église du Mexique.

XIX
CHEZ TOMISLAV VLAŠIĆ, O.F.M.

Le 20 mai. De chez Marija, nous partons pour Vitina, rencontrer le père Vlašić. Peu après le début des apparitions, il a été au coeur de l'événement comme vicaire de Međugorje et directeur spirituel des voyants. Puis on l'a muté à Vitina. Homme de paix, il est parti en silence.

Selon Mgr Franić, "il est sur le chemin d'une sainteté sérieuse que caractérisent le détachement et la force intérieure. Il supporte avec une extrême tranquillité les plus grandes calomnies. C'est assurément une grande souffrance, mais il est tranquille, enraciné dans l'Amour. Il dit qu'il est décidé à tout souffrir sans répondre, sans se défendre. Il veut seulement aimer'' (Mgr Franić, 1984. Cité dans LS, mars 85, 18).

Il est onze heures et demie lorsque nous entrons à Vitina. La petite église blanche semble isolée le long de la route. Avertis de notre visite par Carmen, un minibus d'Italiens nous a précédés. Ils sont une douzaine, groupés sous les arbres qui les protègent du soleil de midi, causant avec le père Vlašić.

Il reconnaît Carmen, heureux de la revoir. La conversation se déroule en italien, que tous deux maîtrisent très bien. Fra Vlašić parle doucement et calmement:

— Trois livres vont rester: Laurentin pour l'information, Vicka/Bubalo pour le détail des premières apparitions, et Boni-facio/Brughera pour la spiritualité.

Carmen lui demande où se procurer celui de Bonifacio/Brug-hera. Il entre au presbytère, revient avec deux copies du livre, une pour Carmen et une pour moi:

— L'essentiel de Međugorje, le kérygme de Međugorje, c'est la présence de Marie ici. Il y a quatre ans qu'elle nous éduque et nous fait cheminer.

Le père Tomislav Vlašić, o.f.m.

Dans Bonifacio/Brughera on peut lire: ''Le message le plus profond de la Madone n'est pas dans les paroles, mais dans la présence de la Madone. Vous ne pouvez pas comprendre les messages sans cela. En plus des paroles, on sent une onde de grâce, une présence qui pousse, qui porte plus avant. Il faut comprendre ceci: notre route vers la Madone et vers Dieu est proprement une ouverture, une permission à Dieu et à la Madone de nous porter en avant. C'est très important. Et la seule voie qui conduit à Dieu et à la Madone est la prière'' (Sermon du père Vlašić, p. 29).

Carmen l'écoute, attentive. Elle demande:

— Que nous suggérez-vous de faire si nous décidons de fonder un Centre pour répandre le message?

— Faites d'abord une retraite ensemble. Priez les messages pour les rendre intérieurs. Autrement, vous en ferez des réalités trop humaines. Alors, tout cela tournera à l'idéologie et finira par des conflits.

La cloche sonne les trois coups de l'*Angelus*. Personne ne suggère de réciter la salutation angélique, mais le père Vlašić dit: ''Je ne sais plus l'*Angelus* en italien; mieux vaut que ce soit l'un de vous.''

Un homme commence la prière:

L'Angelo del Signore portò l'annunzio a Maria.
Ed ella concepì per opera dello Spirito Santo ...

Je baisse les yeux. Sur la bure du franciscain, la corde blanche descend avec ses gros noeuds. Deux pieds nus dans les sandales de cuir ... l'*Ave Maria* en italien, récité avec douceur ... J'ai l'impression qu'en levant le regard, je vais voir François d'Assise en personne.

L'*Angelus* terminé, nous partons. Une Italienne l'attend. Au moment de monter dans l'auto, je les vois devant l'église sous le soleil de midi, puis se dirigeant vers le jardin.

J'ai revu cette femme. Elle avait été impressionnée par le père Vlašić:

— Il a été très bon avec moi. Il m'a écoutée durant une heure et m'a vraiment aidée.

Lorsque je mentionne le nom de Vlašić à Bijakovići, les gens s'arrêtent, comme s'il fallait changer d'univers. Zora ma voisine m'a dit un jour:

— C'est un saint.

Et sa mère d'ajouter:

— *Fra Vlašić ima svetu ruku*: Fra Vlašić, il a un bras saint. C'est Gospa qui l'a dit aux enfants durant les apparitions.

XX

COMME UNE ROSÉE
APPARITION À PODBRDO

Lundi, le 20 mai. Il est dix heures du soir. Sous un ciel plein d'étoiles, la terre reste dans l'obscurité. Seule lumière dans le noir, le pâle rayon de ma lampe de poche qui éclaire faiblement la montée rocailleuse de Podbrdo.

Je guide Carmen et Monseigneur Andrès Nazario *. Nous récitons doucement le chapelet en espagnol. Les jeunes du groupe d'Ivan nous dépassent, sans avoir l'air de faire attention à notre lampe de poche. Ont-ils remarqué notre progression lente et pénible?

Vicka nous dépasse à son tour, montant à vive allure dans l'obscurité, déterminée, sûre et précise comme une chèvre de montagne.

Nous entendons maintenant les chants; le sommet n'est pas loin. J'éprouve une grande joie à la pensée de guider vers Marie son vieux serviteur Andrès Nazario.

Accompagnés à la guitare, les chants à voix mixtes montent dans la nuit, réchauffant le coeur:

Dođi, dođi nam, Gospodine:
    Viens, viens, Seigneur!
Mi te trebamo:
    Nous avons besoin de Toi.
Daj nam vjeru:
    Donne-nous la foi.
Daj nam ljubav:
    Donne-nous l'amour.

---

* pseudonymes. Voir chapitre XVIII.

Dođi nam Gospodine

1. Do-dji, do-dji nam Go-spo--de, do-dji, do--dji.nam Go-spo--de, do-dji,

do-dji nam Go-spo--de, o do-dji Go-spo---de.

2. Mi te trebamo, Gospode... O dodji, Gospode.
3. Daj nam vjeru, Gospode... O dodji, Gospode.
4. Daj nam ljubav, Gospode... O dodji, Gospode.

De gauche à droite, Vicka, Ivan et Marija.

90

Gospodin: monsieur. *Gospodin Ostojić*: monsieur Ostojić. *Gospodski*: noble, qui se conduit comme un seigneur.

Dođi nam, Gospodine est la traduction de *Kumbaya*, My Lord. *Kumbaya* est la prononciation nègre de *Come by here*: Viens par ici, mon Maître, chanté par les esclaves des plantations du sud des États-Unis au dix-neuvième siècle. C'est un des hymnes préférés de notre Dame (B, 91).

Le chant est calme, comme celui des Noirs faisant des *Negro Spirituals*.

Les filles passent avec des fleurs des champs.

Au sommet de Podbrdo, le sentier devient une surface impraticable, hérissée de grosses pierres mobiles aux arêtes vives. Comme si on en avait déchargé ici un camion.

Nous ne sommes pas les seuls à utiliser des lampes de poche mais, au sommet de la colline, il faut les éteindre. La consigne est sévère et respectée. J'ai donc un cas de conscience: obéir à la loi de la colline ou rendre à destination l'invité mexicain de notre Dame.

Je ne sais trop quel argument va jouer, de quelle autorité je vais intérieurement me réclamer, mais je vais devoir braver les interdits terrestres pour éclairer le sentier jusqu'à une grosse pierre plate à trois mètres de la croix de bois, marquant l'endroit exact de la première apparition, et qui va servir de miséricorde à Monseigneur Nazario.

Vjerujem u Boga, Oca svemogućega,
Stvoritelja neba i zemlje …

Je crois en Dieu, le Père tout-puissant,
Créateur du ciel et de la terre …

Le chapelet commence, récité par un des garçons du groupe d'Ivan. Ils sont une vingtaine à répondre. Ils prient calmement, intensément, avec une rare intériorité.

Andrès Nazario est assis sur sa pierre, penché, recueilli.

O moj Isuse, oprosti nam naše grijehe …
O Mon Jésus, pardonne-nous nos péchés,
Préserve-nous du feu de l'enfer…

Cette prière, enseignée par notre Dame aux enfants de Fatima lors de la troisième apparition, le 13 juillet 1917 …

et conduis au Ciel toutes les âmes,
spécialement celles qui ont le plus besoin
de ta miséricorde.

Ivan se lève, suivi de Marija et Vicka. Ils se détachent du groupe, s'approchent de la croix et s'agenouillent.

Un silence. La croix est blanche dans la nuit étoilée. L'air est frais.

Oče naš, koji jesi na nebesima ...
Notre Père, qui es aux Cieux ...

La voix de Vicka domine comme l'onde porteuse. On distingue la voix de Marija, plus douce, et le timbre plus grave d'Ivan.

Maintenant je sens une brise douce et légère, mais très douce et très légère. C'est une sensation tout à fait inconnue. Je me prosterne front contre terre.

Je reçois une goutte de pluie sur la main droite, puis une autre sur la main gauche. Je me relève et touche ma main droite: il ne pleut pas. Je regarde le ciel: il n'y a que des étoiles! ... *

Koji jesi na nebesima ...
Qui es aux Cieux ...

Les voyants continuent le *Pater*, commencé par Marie. Cette brise légère, cette pluie, c'est donc Elle! Ailleurs, Vicka a décrit l'arrivée de notre Dame (B, 118): "Une image lumineuse, diffuse, s'approche: un instant. Maintenant elle est devant nous, claire, belle, joyeuse."

Le *Pater* est suivi du *Gloria*. Toujours cette pluie fine. L'air est immobile et la colline en silence. Quatre, cinq minutes passent.

— *Ode* ... Elle est partie.

Le mot reste suspendu comme le début d'une phrase terminée intérieurement.

La "pluie" a cessé. Personne ne s'est levé. Ivan s'est simplement retourné; ses amis s'approchent, toujours accroupis. Ivan parle bas, comme dans l'intimité.

— Gospa semblait très joyeuse. Elle a béni tout le monde puis a dit qu'il fallait prier davantage, car Satan voulait détruire

---

* Deux personnes de Laval (Québec) ont aussi senti ces gouttes de pluie.

les plans de Dieu. Et aussi, qu'il fallait ouvrir nos coeurs à Dieu et ainsi accueillir l'Esprit Saint.

Nous nous regardons sans rien dire, ne sachant ni partir ni rester, réduits au silence, tristes du départ de notre Mère, méditant ses paroles.

Ivan et Vicka repartent. Les groupes se défont. Des lampes de poche s'allument, on commence à redescendre. Nous reprenons le sentier.

La croix blanche reste seule dans la nuit. Au retour, Andrès Nazario est pensif:

— La brise légère, si douce!

— Et la pluie!

La pluie ... Carmen l'a sentie, mais pas le vent léger. C'est la douceur de la brise qui a impressionné Andrès Nazario:

— *Tan suave*! Si douce!

La descente est laborieuse dans le sentier étroit. Nous n'allons pas assez vite et retardons les jeunes de Međugorje qui nous suivent patiemment, attendant un élargissement du sentier pour nous dépasser.

À quelque distance, au pied de la colline, une voiture allume ses phares et part vers Bijakovići. Puis une autre. Des groupes s'éloignent à pied. La route se vide, l'immobilité revient, le silence s'établit et la nuit reprend son cours.

Salut, ô Reine, Mère de miséricorde,
Notre vie, notre douceur ...

* * *

Épilogue

De retour à Montréal, un mois après cette soirée à Podbrdo, je lis dans les sermons du père Vlašić le passage suivant:

''Accablé, littéralement désespéré, Élie obtint du Seigneur la force de monter au Sinaï. Mais, alors qu'il cherchait le Dieu fort arrivant dans l'éclair et la foudre, Yahveh vint à lui dans la paix. Un silence profond descendit sur la montagne — un souffle, dit la Bible'' (BB, 82).

Je me revois à Podbrdo, le soir de la brise légère et je cherche dans la Bible le passage concernant Isaïe. Il se trouve au *Premier Livre des Rois* (19, 11-13):

> Il lui fut dit: "Sors et tiens-toi dans la montagne devant Yahvé." Et voici que Yahvé passa. Il y eut un grand ouragan, si fort qu'il fendait les montagnes et brisait les rochers, en avant de Yahvé, mais Yahvé n'était pas dans l'ouragan; et après l'ouragan un tremblement de terre, mais Yahvé n'était pas dans le tremblement de terre; et après le tremblement de terre un feu, mais Yahvé n'était pas dans le feu; et après le feu, le bruit d'une brise légère. Dès qu'Élie l'entendit, il se voila le visage avec son manteau...

Trois mille ans après le prophète, sur la petite colline de Podbrdo, j'avais fait d'instinct le même geste que le prophète: même Présence, même attitude...

XXI

LA CHAMBRE À TROIS LITS

21 mai. Hier, Ljubica, la femme de Gojko, m'a invitée à prendre un café: "Vers deux heures." Elle verse l'espresso italien à l'arôme délicat. Mais au moment où elle va s'asseoir, Nikola, le fils d'Anđelko, s'encadre dans la porte. Il a couru:

— Liza, nous avons besoin de toi tout de suite. Nous avons un groupe d'Italiens qui vient d'arriver et nous ne comprenons rien. Il faut que tu viennes traduire.

L'appel est si pressant que je n'ai pas le temps d'être partagée entre l'hospitalité de Ljubica et le problème de Nikola. Nous partons en hâte.

Chez Anđelko, c'est le remue-ménage. Il y a là cinq femmes et deux hommes qui vont d'une chambre à l'autre en parlant très fort et très vite. Anđelko m'aperçoit:

— Vite, Liza!

Il est pris d'assaut par deux femmes dans la soixantaine et une plus jeune:

— *Insieme! Vogliamo essere insieme!*

— Qu'est-ce qu'elles disent, Liza?

— Qu'elles veulent toutes les trois coucher dans la même chambre.

Anđelko fronce les sourcils:

— Pas question! Il y en a une qui couche ici et les deux autres dans la chambre en face.

Nouvel assaut:

— Non. Vous ne pouvez pas nous faire ça. Nous venons de la même région, alors vous n'allez pas nous séparer! *Insieme!*

95

La plus vieille montre ma chambre:

— Ici, il y a trois lits. C'est là que nous allons coucher!

Anđelko est embêté. Je décide de l'aider. Si elles y tiennent, qu'elles la prennent. Il me regarde de travers:

— Non! Tu gardes cette chambre. Nik! Monte un peu!

Nikola s'amène en essayant de se retenir de rire. Anđelko donne ses ordres. Ils défont un lit, enlèvent le sommier et déplacent la lourde base de bois dans une des chambres à deux lits.

Et voilà une chambre à trois lits!

Ils s'épongent le front et repartent travailler au tabac sous un soleil de plomb.

XXII

LE RENDEZ-VOUS IMPORTANT
APPARITION CHEZ VICKA

Le 21 mai. Le soir, de cinq heures et demie à six heures, l'église appartient aux Italiens. Ils occupent pratiquement toute la nef. Au micro, le père Slavko leur explique dans un italien parfait les derniers événements concernant les apparitions.

Je suis venue dès cinq heures trente pour avoir une place au chapelet de six heures.

À l'avant, du côté de l'Évangile, entre la nef et le choeur, notre Dame de Lourdes. Des femmes agenouillées font un cercle noir au pied de la statue. Elles égrènent le chapelet, chacune pour soi, intenses, avançant d'un genou à chaque *Ave*.

Du côté de l'épître et juste à l'entrée du choeur, on circule dans la petite pièce où Marie apparaissait avant l'interdiction de l'évêque de Mostar. Ce va-et-vient italien n'entame pas la sérénité croate du Père Slavko. Sa voix s'inscrit sur ce fond sonore comme un solo de violoncelle sur un accompagnement d'orchestre.

Les explications terminées, des femmes se lèvent. Je reconnais des Italiennes avec qui j'ai sympathisé hier. Claudia * s'approche:

— Es-tu seule, Liza? Tes amis sont partis?

— Comme vous voyez ...

Elle semble mystérieuse:

— Je veux te faire partager une grande joie. Un instant! je reviens. Il me faut la permission des autres.

Elle se dirige vers l'arrière de l'église, consulte ses amies et revient avec un grand sourire:

---

* pseudonyme.

Mais lorsqu'on lui montra la Vladimir, Bernadette dit: "C'est elle!"

— Tu peux venir!

Nous sortons. Le groupe nous entoure. Claudia me regarde dans les yeux:

— Vicka nous a invitées chez elle. Nous allons assister à son extase!

— Je ne comprends pas pourquoi vous m'invitez, moi.

— Je ne le sais pas, moi non plus. C'est la Madone qui le veut. *C'è la Madonna che vuole.*

Elle ne sait pas jusqu'à quel point elle dit vrai. C'est qu'elle ne réalise pas qu'aujourd'hui, 21 mai, la Russie fête la Vladimir. En russe, *Vladi*: qui possède (en croate, *Vladar*: souverain). *Mir*: paix, monde. *Vladimir*: Reine de la Paix, qui possède la Paix, donc: qui peut la donner au monde.

Or, il y a exactement un an, à Montréal, en mai 1984, dans le cadre des rencontres du groupe de prière de la paroisse Notre-Dame des Neiges, le Père André Masse, c.s.c., donnait un exposé sur les messages de Marie au monde, en soulignant leur concordance sur les thèmes fondamentaux de la prière, de la pénitence et de la paix. ''Cela est vrai pour Lourdes, Fatima, La Salette et, actuellement, pour Međugorje, où Marie se présente comme la Reine de la Paix. Elle a même écrit *Mir* dans le ciel.''

Évidemment, j'ai perdu le reste de la conférence. Je me suis d'abord retrouvée en 1960, choisissant d'honorer Marie sous le vocable de Vladimir: Reine de la paix, avec l'intime conviction qu'elle seule pouvait obtenir la paix au monde contemporain. Ensuite, je me suis revue devant son icône, en 1975, au musée Tretiakov de Moscou, où on la garde prisonnière depuis qu'on l'a sortie de l'église de l'Assomption du Kremlin après la Révolution de 1917 **.

** Cette icône est unique dans le monde. Dans son sermon du 28 juin 1970, Le père Joseph-Charles Zanic, O.P., citant Paul Evdokimov, rapporte qu'on avait montré à Bernadette Soubirous plusieurs images de notre Dame, en lui demandant laquelle la représentait. On en avait passé des quantités, aucune n'approchait la beauté de la Sainte Vierge. Mais lorsqu'on lui montra la Vladimir, Bernadette dit: ''C'est elle!'' (Zanic, 28 juin).

Lorsque le père s'arrêta, ma décision était prise d'aller à Međugorje, rencontrer Vladimir, la Reine de la Paix en personne. Ce soir-là, c'est avec une ferveur renouvelée que je récitais la prière de François d'Assise:

O Signore, fa di me un istrumento della Tua Pace.
Seigneur, fais de moi un instrument de ta Paix.
Là où est la haine, que je mette l'amour;
Là où est l'offense, que je mette le pardon;
Là où est la discorde, que je mette l'union ...

L'été et l'automne passèrent à lire sur Međugorje, à réciter tous les soirs la prière de saint François et à mûrir ma décision de partir.

Mais ce n'est que huit mois plus tard, en janvier 1985, que ce voyage devint un rendez-vous, plus précisément au titre de la leçon 15 de la méthode *Assimil* de serbo-croate: *Važan Sastanak ***:* rendez-vous important, que je n'arrivais pas à mémoriser.

Mon mari, qui me demandait mes leçons tous les jours, s'en étonna:

— Je ne comprends pas que tu n'aies pas retenu tout de suite cette expression; c'est le sens de ton voyage: un rendez-vous important!

Važan Sastanak illumina mon étude du croate et toute la préparation de mon voyage à Međugorje. À compter de cette date, je me préparai pour un rendez-vous avec Vladimir, la priant même que ce fût un 21 mai. Voilà pourquoi Claudia ne sait pas pourquoi elle m'a invitée et ne sait que répéter: c'est la Madone. C'est celle qui m'accompagne partout et que je prie chaque jour depuis 25 ans.

Durant le court trajet qui nous mène chez Vicka, je suis mal à l'aise comme l'importun qui est de trop. Mais l'Évangile me revient: "Lorsqu'on vous invite, prenez la dernière place." Et c'est de là que je vois Vicka nous accueillir, reconnaître ses amies italiennes et arriver jusqu'à moi. Je cherche mes mots croates:

*** Važan sastanak et non pas le važni du titre suggéré par le père Zanic, et qui est authentiquement croate.

— Vicka, tes amies m'ont invitée, mais je suis mal à l'aise d'arriver sans prévenir.

Elle m'accueille à bras ouverts:

— *Možeš! Možeš!* Tu peux! Tu peux!

Sa mère et sa tante sont là, silencieuses, avec un regard de bonté, souriant faiblement. Il me semble qu'elles ont pour nous comme une tendresse. Nous entrons dans la chambre; elles, resteront dans le passage.

Nous sommes trop dans cette chambre que nous encombrons. Je me fais petite, j'essaie de me faire oublier. Mais Claudia me surveille: elle sait où Vicka va s'agenouiller et me place tout près:

— Moi, je l'ai déjà vue. Toi, tu viens ici. Tu auras Vicka de profil.

Credo in Dio Padre onnipotente ...
Je crois en Dieu le Père tout-puissant ...

Nous disons un chapelet entier en italien dans cette chambre de trois mètres sur quatre où l'air va finir par manquer.

Nous sommes neuf, bien comptés, debout, car il n'y aurait pas de place pour s'agenouiller.

...Conduisez au ciel toutes les âmes,
surtout celles qui ont le plus besoin
de votre miséricorde.

Des signes de croix, des chapelets qui s'enroulent aux creux des mains, puis c'est le silence.

Voici Vicka: la lumière d'un sourire, deux pieds nus, et un grand chandail qui tombe sur des jeans. Elle sort de la douche, elle est fraîche. Elle fait un pas et se trouve dans la chambre devant le *poster* du Christ miséricordieux. Elle se recueille.

—*Oče naš, koji jesi na nebesima...*
Notre Père, qui es aux Cieux...

D'un seul mouvement, elle est à genoux, le regard levé. Elle sourit, transfigurée. Est-ce le regard des fiancés après une longue absence? C'est peu dire: Vicka n'est plus que joie, lumière et spontanéité. Elle est dans un autre monde venu jusqu'ici: ''au paradis'' a-t-elle confié un jour à Janko Bubalo. "La voix de notre Dame est argentine et douce. C'est un chant merveilleux. C'est angélique. Mais le mot n'est pas juste. J'ai écouté aussi les anges au ciel. Mais notre Dame, c'est notre Dame'' (B, 35, 92, 139).

Mais ne l'aurait-elle pas confié que je le saurais, moi qui n'y suis pas, par la joie que j'éprouve à la voir en extase et la certitude d'y être appelée.

Nous sommes neuf dans cette pièce, mais Vicka est seule avec la Vierge. Elle a joint les mains, bouge les doigts, hausse les épaules, devient sérieuse, sourit de nouveau, parle à Marie.

Un bruit de mâchoires: nous sommes bien sur la terre. Mais Vicka est ravie de bonheur et son extase me transporte hors du temps. S'il pouvait s'arrêter! Mais les lois de la terre en décident autrement:

— *Ode*... Elle est partie ...

Vicka baisse le regard. Elle a dit *ode* avec une grande douceur, comme une enfant docile qu'on aurait séparée de sa mère. Elle baisse la tête, se recueille un instant. C'est terminé. Elle laisse au Ciel ce qui est du Ciel et donne aux hommes ce qui est de la terre: un sourire, une main tendue, un regard qui remue le fond de l'être:

— *Kako ste?* Comment ça va?

— *Dobro, dobro*. Bien, bien.

Claudia s'approche de moi:

— Demande-lui ce que la Madone a dit.

— Je n'ose pas.

Elle insiste. Je suis gênée:

— Vicka, Claudia veut savoir ce que la Madone a dit.

Elle a un sourire ineffable:

— *Ne, ne*. Non, non.

Elle rencontre chacun en particulier, prend le temps de s'arrêter. Elle est encore nu-pieds et son grand chandail tombe toujours sur ses jeans.

Peu à peu le patio se vide. Je vais partir. Elle se tourne vers moi:

— Tu n'es pas venue chanter?

Je reste bouche bée. Toute la semaine j'y ai pensé. Mais la voyant continuellement assaillie par les pèlerins, j'y ai renoncé. Elle voit mon désarroi:

— Tu attends de mieux parler le croate?

— Oui.

— Tu chanterais et j'accompagnerais à la guitare.

Elle fait le geste et sourit:

— Bonsoir.

Nous partons à regret. Dans la camionnette qui nous amène à la messe, j'ose rompre le silence:

— Claudia, dis-moi maintenant pourquoi tu m'as invitée à l'extase de Vicka.

— Je ne le sais pas. Je n'y suis pour rien, mais alors, vraiment pour rien du tout. C'est la Madonna.

Alors, c'était la Madone!...

Ivanka. Un temps pour pleurer et un temps pour rire...

XXIII

ZMIJA, LE SERPENT

Le 23 mai. Sur la fin de l'après-midi, je suis allée porter à Vicka des photos d'elle qu'un pèlerin lui destinait et qu'il avait oubliées à l'église.

Il est cinq heures. Je suis de nouveau sur le chemin de l'église, marchant calmement, car j'ai tout mon temps avant la messe de six heures.

Perdue dans mes pensées, je n'ai pas entendu venir Jakov et Ivanka, qui me dépassent comme sans me voir, causant et rigolant comme deux écoliers en récréation.

Ivanka est une brune de dix-neuf ans, superbe et racée, qui porte maintenant les cheveux courts et ondulants. Toute élégante dans une belle robe orange qui lui va à ravir, elle a les traits fins et réguliers, de grands yeux pleins de lumière, la bouche intelligente, le regard direct, le geste vif.

Ce soir, elle a fière allure, cette Croate à la démarche assurée, qui offre son amitié affectueuse à Jakov, ce garçon trop vivant qui n'aura pas assez d'une enfance pour exprimer son énergie. Il est frais, propre, alerte, et porte un T-shirt à la mode dans une salopette à la mode.

Un premier mouvement: engager la conversation, vite réprimé par la pensée qu'ils ont droit à leur vie privée. Je me laisse distancer quelque peu. Ils vont bras dessus, bras dessous, s'arrêtant en bordure des champs de tabac pour causer avec les sarcleurs.

Jakov prend le bras d'Ivanka et se le passe autour de la taille: elle rit. Les paysans renchérissent. L'air du soir amplifie un instant la sonorité éclatante des rires. Le silence revient, mesuré par les pioches.

Soudain, un cri aigu de Jakov. Je glace. Ivanka se précipite à droite de la route et fait de grands signes aux paysans.

Jakov s'agite. Un paysan vient. J'arrive rapidement sur place:

— Qu'est-ce que c'est?

— *Zmija*! Un serpent! Il est dangeureux! Là!

Il me montre à gauche de la route un grand serpent, long de deux mètres, ombre menaçante, sombre et rampante, bougeant lentement dans l'herbe haute et fixant sur nous l'angoisse silencieuse de son regard immobile. Et nous sommes là, hommes et bête, à une distance respectueuse imposée par la peur mutuelle. Presque à mi-voix, j'ose rompre le silence:

— Tu es Ivanka?

— *Da*. Oui.

Elle n'a pas détourné le regard.

— Il y a beaucoup de serpents par ici?

— Peu.

— Est-ce que la morsure est mortelle?

— Oui.

Le paysan s'amène, pioche à la main. Le serpent comprend, pique de la tête dans le taillis, tente de couler sous l'herbe. En vain. Le paysan a l'oeil sûr et la main rapide. La pioche s'abat, le serpent se tord. Les anneaux blancs du ventre luisent un instant à la lumière. Quelques convulsions, et il ne reste au bord de la route qu'un long cadavre mou et ensanglanté, que les charognards se partageront au soleil levant. Le temps s'est arrêté, passe une odeur d'Apocalypse.

Alors un autre signe apparut:...
C'était un grand dragon...
Sa queue balayait le tiers des étoiles.
Le dragon se posta devant la femme,
Il y eut un combat:
Michael et ses anges combattirent
contre le dragon...
Et le dragon lui aussi combattait...
Mais il n'eut pas le dessus...
Il fut précipité le grand dragon,

L'antique serpent,
celui qu'on nomme Diable et Satan,
le séducteur du monde entier...
(*Apocalypse*, 12, 3-9)

Vicka disait, en entrevue: C'est le temps du combat pour les âmes. Notre Dame l'a dit à Mirjana, et à nous-mêmes'' (B, 137).

''Par qui et dans quoi, demanda le père Vlašić à Mirjana, le diable se manifeste-t-il le plus, de nos jours?''

— Surtout par ceux qui n'ont pas un caractère équilibré, les personnes divisées intérieurement, écartelées (F, 68).

Le paysan retourne à son champ, nous reprenons la route, et Jakov retrouve sa nature. À chaque tournant de la route, il fait sursauter Ivanka en se précipitant sur elle avec des cris d'effroi comme s'il était attaqué par un serpent sorti des fourrés. La frousse passée, Ivanka rit avec lui.

Ce n'est qu'à l'approche du presbytère qu'il cesse le manège, probablement à la vue des touristes massés sur le passage, et qui surveillent leur arrivée dans le viseur de leurs caméras.

Ils arrivent à la rangée des pèlerins, s'y engagent sans ralentir le pas et sans cesser de causer, la traversent imperturbables et sans un regard de côté, comme ils passeraient entre deux rangées d'arbres, gagnent le presbytère et montent l'escalier extérieur qui mène à la pièce des apparitions. Étonnement des gens:

— Deux indépendants!...

Ce n'est pas la première fois qu'Ivanka surprend: ''Son attitude, écrit Kraljević, paraît plus superficielle et plus accordée à celle des adolescents actuels. En même temps, on la sent tout à fait équilibrée et calme dans ses actes et dans ses jugements'' (K, 69).

Perplexité. Voici une fille normale et un garçon normal, qui ne sortent ni d'une biographie de saint ni d'un film de Zeffirelli, qui passent leur chemin sans sourire gentiment aux touristes, n'ont pas d'auréole, et ne prient pas en se rendant à l'apparition.

Comparés aux voyants, nous, pèlerins, avons la mariologie plus visible et le pèlerinage plus austère: des jeans, des souliers de marche, le teint hâlé par le soleil et le vent, un visage sans fard, le regard tourné vers l'intérieur. Le vrai disciple baissera les yeux, portera un chapelet au cou, un autre enroulé autour du poignet. Alors personne ne pourra le confondre avec les touristes d'un soir.

C'est ainsi que, bardé spirituellement, il verra passer Jakov et Ivanka, riant et causant familièrement en allant aux apparitions. S'il n'en meurt pas, la Bible pourrait l'éclairer (*Qohéleth*, ch. 3, 1):

> Il y a un moment pour tout
> Et un temps pour chaque chose
> Sous le ciel:
> Un temps pour pleurer
> Et un temps pour rire,
> Un temps pour se taire
> Et un temps pour parler,
> Un temps pour embrasser
> Et un temps pour éviter d'embrasser …

XXIV

LES MESSAGES DU JEUDI

Jeudi, le 23 mai. Le célébrant ferme le tabernacle. Dehors, le soir tombe, il est presque neuf heures. Les prières ont commencé à six heures avec deux chapelets, suivis de la messe, de la bénédiction des malades et de l'exposition du Saint Sacrement.

Le parfum de l'encens pénètre toute la nef, qui repose immobile, sous le poids bienfaisant de trois heures de liturgie.

Nombreuses sont ici les femmes de quarante et cinquante ans qui auraient le droit de dormir au lit car il était évident, à six heures, qu'elles passaient du champ de tabac à l'église, après une journée à sarcler sous un soleil de plomb.

Mais c'est jeudi à Međugorje. L'église est pleine, on voit plus d'hommes que d'habitude et le rythme de la cérémonie est différent: plus calme, avec quelque chose de solennel, une certaine respiration — le rythme croate. La paroisse se prépare à recevoir un message spécial de Marie. Préparation ultime, car aujourd'hui on s'est privé — la Madone l'a demandé — de tabac et d'alcool. Les plus généreux ont jeûné. À sa demande expresse, on a lu *Matthieu* 6, 24-34 (BB, 19):

> Nul ne peut servir deux maîtres: ou bien il haïra l'un et aimera l'autre, ou bien il s'attachera à l'un et méprisera l'autre. Vous ne pouvez servir Dieu et l'Argent.
>
> Voilà pourquoi je vous dis: Ne vous inquiétez pas pour votre vie de ce que vous mangerez, ni pour votre corps de quoi vous le vêtirez. La vie n'est-elle pas plus que la nourriture, et le corps plus que le vêtement?
>
> Regardez les oiseaux du ciel: ils ne sèment ni ne moissonnent, ils n'amassent point dans des greniers; et votre Père céleste les nourrit! Ne valez-vous pas beaucoup plus qu'eux?
>
> Et qui d'entre vous peut, par son inquiétude, prolonger tant soit peu son existence? Et du vêtement, pourquoi vous inquiéter?

Observez les lis des champs, comme ils croissent; ils ne peinent ni ne filent, et je vous le dis, Salomon lui-même, dans toute sa gloire, n'a jamais été vêtu comme l'un d'eux!

Si Dieu habille ainsi l'herbe des champs, qui est là aujourd'hui et qui demain sera jetée au feu, ne fera-t-il pas bien plus pour vous, gens de peu de foi! Ne vous inquiétez donc pas, en disant: "Qu'allons-nous manger? qu'allons-nous boire? de quoi allons-nous nous vêtir?" — tout cela, les païens le recherchent sans répit —, il sait bien, votre Père céleste, que vous avez besoin de toutes ces choses.

Cherchez d'abord le Royaume et la justice de Dieu, et tout cela vous sera donné par surcroît. Ne vous inquiétez donc pas pour le lendemain: le lendemain s'inquiétera de lui-même. À chaque jour suffit sa peine.

"Au début de 1984, explique Tomislav Vlašić, la Madone a exprimé /.../ son désir de voir les paroissiens de Medugorje se réunir un soir par semaine, pour être guidés par elle; nous avons choisi le jeudi." C'est à Marija, le premier mars 1984, qu'elle a donné le premier message:

J'ai choisi cette paroisse d'une façon particulière et je veux la guider. Je la protège dans l'amour et je veux que tous soient miens. Merci d'être venus ce soir. Je veux que vous soyez toujours en plus grand nombre avec mon Fils et moi. Chaque jeudi, j'aurai pour vous un message particulier (1.3.84).

Dans quelques instants, celui d'aujourd'hui nous arrivera, consigné par écrit par Marija, qui l'a reçu à l'apparition de sept heures moins vingt.

Je suis agenouillée sur une serviette pliée en quatre, apportée par une femme de Medugorje. Lorsqu'elle est arrivée à six heures, j'étais assise et j'ai insisté pour lui céder ma place. Alors elle m'a offert la serviette. Maintenant elle me prie de m'asseoir.

Voici la Soeur Janja avec le billet de Marija, qu'elle tend au célébrant. Il lit lentement:

Je vous invite spécialement à ouvrir vos coeurs à l'Esprit Saint, surtout en ces jours où Il agit à travers vous. Ouvrez vos coeurs et votre vie à Jésus pour qu'Il y agisse et vous affermisse dans la Foi.

Dans la pénombre de la sacristie, Soeur Janja est à genoux en position d'orante, attentive aux paroles de Marie. Elle est si recueillie qu'il serait convenable de lui faire dire intérieurement: "Qu'il me soit fait selon votre parole" (*Luc*, 1, 38).

Les gens se lèvent. Je sors perplexe, déroutée, et pour tout dire, déçue. Voilà des phrases qu'on pourrait trouver dans le sermon le plus ordinaire. Mais je me trompe. Ce sont deux phrases tragiques, émanées du Drame de l'Apocalypse, qui se joue sur le théâtre de l'univers entre Dieu et l'Adversaire. L'enjeu est le salut des âmes menacées de l'enfer. Les acteurs sont tous les hommes: "Mon Fils lutte pour chacun de vous, dit notre Dame, mais Satan se bat lui aussi. Il rôde autour de vous, pose des pièges" (B, 71).

Revenue de Međugorje, j'ai pris la peine de lire attentivement ces messages du jeudi. J'en ai parlé. On m'a fait remarquer plus d'une fois qu'ils reprennent l'essentiel de l'Évangile, donc qu'on peut se dispenser de les examiner de près. Ce serait dommage, car cela équivaudrait à perdre l'enseignement de notre Dame sur l'Évangile même et la vie chrétienne.

Par contre, si l'on prend la peine de s'y arrêter, ces messages du jeudi — conseils précis sur la conduite de la vie chrétienne au jour le jour — peuvent nous apporter lumière et encouragement dans l'accomplissement de la seule tâche importante de l'existence humaine: la rédemption de tous les hommes.

Les messages sont pris du livre de Slavko Barbarić, o.f.m.: *Poruke Mira Međugorje*. Je les ai traduits moi-même en confrontant ma traduction avec celle de Laurentin et celle de la version française accessible au presbytère de Međugorje.

Ils sont donnés ici sans commentaires et le texte est fait pour être lu d'un trait, comme une lettre d'une mère à ses enfants. Tout ce qui est entre guillemets énonce les propres paroles de notre Dame, c'est-à-dire les messages donnés à la paroisse à la messe du jeudi soir — sauf de rarissimes emprunts aux apparitions de Vicka et des autres voyants, toujours indiqués dans les références. Lorsque cela s'avère nécessaire pour l'intelligence du texte, j'introduis des raccords en italiques et sans guillemets.

Enfin, ce texte ne conserve pas tout le contenu des messages du jeudi, donnés à la paroisse comme les conseils d'une mère aux enfants dont elle fait l'éducation. Il y a des répétitions, des insistances, des formulations synonymes. Elles n'ont pas été retenues ici, non plus que l'ordre chronologique. C'est l'ordre thématique qui a prévalu.

* * *

Comme une lettre d'une mère à ses enfants

Međugorje, Bosnie-Herzégovine,
du 1ᵉʳ mars 1984 au 10 octobre 1985

Chers enfants,

"Moi, votre mère, j'ai choisi particulièrement cette paroisse. Je veux la mener et la préserver dans mes mains comme une petite fleur qui ne veut pas mourir. C'est à cause de ceux qui sont spécialement près de mon coeur que je vous donne ces messages, au nom de Dieu. J'ai besoin de vos prières."

(1.3.84; 24.5.84; 1.8.85; 10.1.85; 6.12.84; 13.9.84)

LE COMBAT   "Mon Fils lutte pour chacun de vous, mais Satan se bat lui aussi" (Bubalo, p.71). *C'est l'ennemi, capable de* "contrecarrer les plans de Dieu même le jour de Noël. Il combat insidieusement et violemment contre cette paroisse." *Son dessein:* "établir le règne du péché, des choses matérielles, du sensationnel, se servir du raisin de vos vignes, embrouiller mes plans, vous arracher votre joie, vous diviser. Satan est enragé après ceux qui jeûnent et se convertissent. Il agit avec d'autant plus d'énergie qu'il a maintenant réalisé qu'il agit." (27.12.84; 13.9.84; 17.1.85; 29.8.85; 11.8.84; 24.1.85; 19.7.84; 8.8.85; LR, 101: 15.08.83)

Mais il vous faut "vaincre. Il faut que vous sentiez, dans l'épreuve *même* de Satan, la victoire de Jésus."

JE SUIS VOTRE AUXILIAIRE	"Avec mon manteau, je protège la paroisse de chaque entreprise de Satan. N'ayez pas peur, car je vous aime tous à chaque instant. Je veux vous aider dans vos épreuves, vous consoler dans la tentation et, avec la permission du Seigneur, vous aider par des grâces à vous défendre contre le mal." (12.7.84; 11.7.85; 24.5.84; 20.6.85; 25.10.84)
VOTRE MISSION	*Vous connaissez donc votre Roi, mon Fils Jésus crucifié et ressuscité. Votre adversaire est Satan. Vous me savez à vos côtés, moi, votre Mère. Voici votre mission: la Sainteté, la Gloire de Dieu, le Salut du monde.*
LA SAINTETÉ	"Si vous vivez les messages, vous vivez les germes de la sainteté. Je veux vous vêtir dans la sainteté, dans la bonté, dans l'obéissance et dans l'amour de Dieu, pour que de jour en jour vous soyez plus beaux et plus prêts pour votre maître."
LA GLOIRE DE DIEU	"Pensez à la gloire de Dieu dans vos coeurs. C'est par la Croix que Dieu se glorifie en chaque homme. Apprenez à porter la Croix. Sympathisez, souffrez avec moi."
LE SALUT DU MONDE	"Dans votre vie, vous avez expérimenté la lumière et les ténèbres. Dieu donne à chaque homme la connaissance du bien et du mal. Je vous appelle à la lumière que vous devez apporter à tous les gens qui sont dans les ténèbres. De jour en jour, les gens qui sont dans les ténèbres viennent dans vos maisons. Donnez-leur la lumière. Convertissez-vous dans la paroisse. Ainsi, tous ceux qui viendront ici pourront se convertir. Vous êtes un miroir pour les autres. Ne dites pas: 'je vis les messages', mais portez-les dans vos coeurs et vivez-les. Alors, tout le monde s'en apercevra. Et il n'y aura pas besoin de paroles qui ne servent qu'à ceux qui n'entendent pas."

"Offrez des réparations pour les blessures infligées au Coeur de mon Fils. Offrez chacun de vos sacrifices avec amour, pour ceux de la paroisse qui ne prient pas et pour les âmes qui se perdent par le péché."

(14.3.85; 8.3.84; 10.10.85; 4.4.85; 19.4.84; 29.11.84; 5.4.84; 4.10.84; 4.7.85; 20.9.85; 24.5.84; 24.10.85)

VOTRE ARME: LA PRIÈRE

Votre arme est la prière. "Commencez le combat contre Satan par la prière. Armez-vous contre Satan et triomphez le rosaire à la main. Avec le rosaire vous vaincrez toutes les difficultés que Satan veut causer à l'Église catholique. Par la prière, vous pouvez désarmer Satan complètement."

(8.8.85; 24.1.85; 25.6.85)

"Je vous appelle à la prière du coeur. Dans la prière, vous connaîtrez le moyen de résoudre toute situation qui semble ne pas avoir de solution. Que la prière soit votre nourriture de chaque jour. Quand le travail dans les champs prend toute votre énergie, vous ne pouvez pas prier avec votre coeur." *C'est alors qu'il faut prier.* "Priez et votre fatigue passera. La prière vous sera alors une joie et un repos. Dans la prière, vous connaîtrez la grandeur de Dieu. Dans la prière, vous connaîtrez la plus grande joie. Si vous priez avant chaque travail, Dieu bénira votre travail."

(28.3.85; 30.5.85; 28.11.85; 5.7.84)

"Que la prière prédomine dans vos coeurs à chaque instant, qu'elle passe en premier dans vos familles. Priez le plus possible: trois heures par jour — le matin et le soir, au moins une demi-heure. Avant chaque travail, priez; finissez votre travail avec la prière. Lorsque les travaux sont terminés, priez, venez à la messe."

(5.7.84; 1.11.84; 21.11.85;
14.8.84; LR, 100: 28.06.83; 2.5.85)

"Ouvrez-vous à Dieu, ouvrez vos coeurs au Seigneur de tous les coeurs. Offrez votre vie à Jésus, pour qu'Il agisse à travers vos coeurs et vous fortifie dans la foi. Soyez conscients que je suis venue sur la terre pour vous apprendre à entendre avec amour, à prier avec amour, à écouter avec amour, et à porter votre croix mais pas par la force."

(20.6.85; 25.7.85; 23.5.85; 6.12.84; 29.11.84)

LA PREMIÈRE
DES VERTUS
MORALES:
LA RELIGION*

Organisez votre vie autour de la prière. Que toute votre vie soit un culte à Dieu. "Que votre prière soit un signe d'offrande à Dieu. Appartenez complètement à Dieu, dépendez complètement de Lui."

(13.6.85; 28.2.85; * Mennessier, p.5)

"Mettez le plus d'objets bénits possible dans vos maisons. Bénissez tous les objets. Que chacun porte sur soi un objet bénit. Alors, Satan pourra moins vous molester parce que vous aurez une armure contre lui."

(18.7.85)

"Faites dans vos maisons une consécration spéciale à la Croix." (12.9.85)

"Vénérez le Coeur de mon Fils Jésus. Chaque famille est l'image du Sacré Coeur."

(5.4.84; LR,100: 28.06.83)

"Mettez la Bible en évidence dans un endroit tel qu'elle vous invite à lire et à prier. Lisez la Bible chaque jour en famille."

(18.10.84)

"Je vous invite à la prière familiale. Attisez, renouvelez la prière dans vos familles. Encouragez les jeunes à prier."

(7.3.85). 28.3.85; 6.12.84; 14.2.85)

"Dédiez du temps au rosaire. Dites-le en famille. Que le monde prie chaque jour au moins le rosaire: joyeux, douloureux, glorieux."
(25.6.85; 14.8.84; 27.9.84)

"Quand surviennent des souffrances, offrez-les en sacrifice à Dieu. Offrez au Seigneur la fatigue, les fardeaux, les épreuves."
(29.3.84; 11.10.84)

"Soyez reconnaissants à Dieu pour chaque faveur, chaque grâce qu'Il vous a donnée. Remerciez d'abord pour les petites choses: pour tous les fruits" *de la récolte.* "Ensuite vous pourrez le remercier pour les grandes."
(3.10.85; 3.1.85)

"Que la Messe soit pour vous une expérience de Dieu. Encouragez les très jeunes à y assister."

"Adorez continuellement le Très Saint Sacrement. Je suis toujours présente quand des croyants adorent. Ils reçoivent des grâces particulières."

"Je désire vous appeler tous à la confession, même si vous vous êtes confessés il y a quelques jours. Et ainsi je vous appelle à la réconciliation avec Dieu."
(24.3.85; 16.5.85; 15.3.84; 7.3.85)

Préparez chaque fête liturgique. "Mettez-vous en communion avec le ciel. Méditez, expérimentez au-dedans de vous, priez davantage et d'une façon spéciale, louez."
(24.3.85)

"Noël est un jour de joie. Priez davantage. Abandonnez-vous à Jésus en posant à la crèche une fleur par membre de la famille."
(6.12.84; 20.12.84; LR, mars 1985, 24: 13.12.84)

À l'Annonciation, ''je désire que vous expérimentiez ma fête au-dedans de vous. Vous ne le pouvez pas, si vous ne vous livrez à Dieu complètement.''

''Je vous appelle à vénérer, durant le carême, les plaies de mon Fils, qu'il a reçues des péchés de cette paroisse. Méditez comme le Tout-Puissant, aujourd'hui encore, souffre à cause de vos péchés. Unissez-vous à ma prière pour que'' *les souffrances de mon Fils* ''soient supportables.''

Le Vendredi Saint, prenez conscience que ''vous avez une grande et lourde Croix. Mais n'ayez pas peur de la porter. Mon Fils est avec vous et Il veut vous aider.''

À Pâques, ''mettez-vous en communion avec le Ciel. Réjouissez-vous.''

Durant le temps de Pâques, ''priez d'une façon spéciale pour l'illumination du Saint Esprit.''

À l'approche de la Pentecôte, ''l'Esprit Saint agit d'une manière particulière. Mettez-vous en mouvement. Ne vous laissez pas tourner vers les choses de la terre, ne vous en préoccupez pas. Retournez vos coeurs à la prière et cherchez à ce que l'Esprit Saint se répande en vous, dans vos familles et dans la paroisse, pour que vous connaissiez l'amour de Dieu et mon amour, et que vous réalisiez la grandeur des grâces envoyées par Dieu.''

Pour préparer ma fête de l'Assomption, ''jeûnez au pain et à l'eau le mercredi et le vendredi. En ce jour, je vous bénis avec la bénédiction solennelle que le Dieu tout-puissant m'accorde.''

À la fête de l'Exaltation de la Sainte Croix, le 14 septembre, ''la Croix doit être au centre de votre vie. Priez spécialement devant la Croix, d'où viennent de grandes grâces.''

(29.3.84; 22.3.84: LS,déc. 84: Paques 84; 11.4.85; 9.5.85; 12.9.85; 24.3.85; 14.8.84; 15.8.85)

L'ASCÈSE

''Travaillez dans vos coeurs comme vous travaillez dans les champs. Le travail des champs fini, trouvez du temps pour nettoyer avec amour les pièces négligées de votre coeur. Travaillez davantage et nettoyez chaque partie. Changez vos coeurs afin que l'Esprit nouveau de Dieu puisse y loger. Essayez chaque jour de vous débarrasser d'un vice.''

(17.10.85; 25.4.85; LS, oct. 85, p.68: 20.2.85)

PRUDENCE

''Je ne désire contraindre personne à rien qu'il ne ressente et ne désire. Adhérez à la prière sciemment, et non pas par routine. Jeûnez avec le coeur. Enracinez les messages dans le coeur.'' *N'agissez pas par conformisme. Comprenez ce qui vous est demandé, ayez conscience de ce que vous faites, agissez librement.*

(20.9.84; 30.4.84; 28.11.85; 2.5.85; 22.11.84; 6.11.84)

FORCE

''Accueillez ce message avec une volonté énergique. Je voudrais vous inviter à la persévérance dans les épreuves et les tentations. Puissiez-vous surmonter l'inquiétude dans l'épreuve, la peur des difficultés, la tentation de vous endormir dans la prière.''

''Dieu vous met à l'épreuve par les travaux de tous les jours. Priez pour vaincre tranquillement chacune des épreuves. Par les épreuves, vous vous ouvrez de plus en plus à Dieu et venez à lui avec amour.''

(14.8.84; 29.3.84; 17.1.85; 11.10.84; 24.5.84; 22.8.85)

TEMPÉRANCE	*Jeûnez.* "Mettez fin aux abus de tabac, d'alcool, de télévision, de café. Vivez surtout le jeûne car, avec le jeûne, vous me ferez la joie de réaliser le plan complet que Dieu a conçu ici à Međugorje." (26.9.85; L, 135)
FOI	*Ayez une foi solide.* "C'est pour la fortifier dans la Foi que Dieu éprouve la paroisse." (11.4.85)
CHARITÉ	"Vivez la parole 'J'aime Dieu'. Dans l'amour, vous réaliserez tout, même l'impossible. Sans amour, vous ne parvenez à rien. Mais avec l'amour, vous pouvez faire ce que vous croyez impossible. Aimez d'abord les membres de votre famille, et ensuite vous pourrez aimer et accepter ceux qui viennent" *chez vous.* "Cessez les médisances et priez pour l'unité de la paroisse. Je vous invite à l'amour du prochain, de ceux par qui vous arrive le mal. Aimez-les, bénissez-les, priez pour eux. Ainsi vous pourrez juger avec l'amour." (13.12.84; 7.11.85; 28.2.85; 6.6.85; LR, 100: 22.06.83; 12.4.84)

* * *

"Vivez les messages dans l'humilité; ne vous en glorifiez pas."

"Soyez conscients que je suis votre Mère. J'aime la paroisse, je vous aime tous. Je me suis donnée à vous, je veux que vous connaissiez mon amour."

Je veux "assurer votre bonheur — en Dieu, en Qui se trouve la vraie joie, de laquelle découle la vraie paix. Je suis infatigable et vous appelle quand vous êtes loin de mon coeur. Je verse des larmes de sang pour les âmes qui se perdent par le péché. Je suis mère. Bien que je sente de la douleur pour celui qui part à l'aventure, je pardonne facilement et je me réjouis à chaque enfant qui recourt à moi. La joie m'envahit pour chaque coeur qui s'ouvre à Dieu.''

''Plusieurs parmi vous veulent se consacrer à moi. Vous ne vous êtes pas trompés. Je vous apprends à écouter avec amour, à prier avec amour, à porter la croix. Je souffre avec vous la plus petite épreuve. Donnez-moi tous vos sentiments et vos problèmes. Je suis toujours avec vous et n'ayez pas peur, car Dieu nous surveille toujours.''

''J'aime particulièrement la croix que vous avez providentiellement élevée sur Križevac. Priez souvent à cette croix. Priez, et Dieu vous donnera des présents avec lesquels vous le glorifierez jusqu'à la fin de votre vie terrestre.''
(19,9,85; 11.7.85; 24.5.84; 19.7.84; 14.11.85; 18.4.85; 17.5.84; 15.11.84; 19.7.84; 24.1.85; LS, déc.84, p.27: 31.8.84; LR, 100: 16.6.83; 20.6.85; 2.6.84)

XXV

SOIR D'ANNIVERSAIRE

Le 25 mai. La messe est finie, le soir tombe. J'ai laissé le presbytère au tournant de la route et je vais à pied vers Bijakovići.

À gauche de la route, le parc est désert. Un pas de course derrière moi me fait me retourner. Ivan m'arrive dessus, me dépasse à vive allure et entre dans l'entrée du parc, poursuivi par une auto qui recule à toute vitesse où j'aperçois, à droite du conducteur, Jakov mort de rire.

Ivan est rejoint. Jakov sort de l'auto et s'asseoit sur la banquette arrière, le conducteur se pousse à droite et Ivan prend le volant. L'auto démarre en trombe vers Bijakovići. Après l'apparition!

Aujourd'hui, 25 mai, c'est l'anniversaire de naissance d'Ivan ...

Mirjana, la plus tragique des voyantes.

XXVI

LA PENTECÔTE AU CIMETIÈRE DE BIJAKOVIĆI

Le 26 mai. Le jour de la Pentecôte se lève dans un ciel grandiose. Hier tout Bijakovići s'est imprégné des fumets d'agneaux qu'on a fait cuire sur les grils extérieurs en préparation pour la fête du canton, célébrée aujourd'hui. Tôt le matin, les préparatifs mobilisent toute la maison. Parents et amis viendront de Sarajevo et de Čapljina. Anđelko est heureux. Lorsque vient l'heure de la messe, la table est mise, les plats sont au four et les parfums d'épices invitent déjà au banquet.

Iva nous regarde partir. Quelqu'un doit rester, assurer la perfection du repas. Elle le fait sereinement, comme une chose allant de soi, avec une joie dont elle a le secret. De la porte de la cuisine, elle nous fait un dernier signe de la main. La messe sera célébrée au cimetière, que nous gagnons rapidement en coupant à travers les champs.

Le cimetière est entouré d'une belle clôture de pierre, et planté de cyprès, de cèdres et d'arbres fruitiers, ombragé doucement comme une oasis, avec des fleurs partout, et des allées en dalles de pierre. Les morts reposent dans des lots de famille marqués de pierres tombales en granit noir. On n'a pas regardé à la dépense: c'est dans la dignité que les trépassés attendent le jugement dernier.

À l'extrémité gauche de la paroi nord, sous le baldaquin d'une chapelle en plein air dédiée à Thérèse de Lisieux, l'autel est préparé pour la célébration de la Messe.

Les gens de Bijakovići arrivent par familles, chacune se plaçant en silence devant le tombeau familial. Jakov est devant le tombeau des Čolo où repose sa mère, depuis septembre 1983. Ivanka le rejoint, elle aussi orpheline de mère depuis mai 1981. Elle n'est pas triste: la Vierge lui a dit que Jagoda, sa mère, est heureuse près d'elle et qu'elle ne devait pas se faire de souci (K, 23).

À Međugorje cela a surpris, car c'était la plus normale des mères de famille. Or — et peut-être le savait-elle — Jagoda avait fait exactement ce que Marie avait réussi à Nazareth: assumer sa condition humaine au service de la famille et envers la communauté villageoise, étant confrontée à tous les problèmes de la misère humaine (L, 109).

La cérémonie est commencée. Après de longues prières au pied de l'autel, la procession prend lentement la première allée, la grande croix ouvrant la marche avec les acolytes. Le célébrant — le père Petar Ljubičić — suit en chape, accompagné d'un thuriféraire et d'un cérémoniaire qui porte le bénitier. Il chante les litanies des saints dans un haut-parleur portatif tenu par un homme qui ferme la procession.

À chaque pierre tombale, il fait une pause et asperge d'eau bénite la famille entière, ses vivants et ses morts. La liturgie invoque la cour céleste (Nuića, 1981):

Sveto Trojstvo, jedan Bože, smiluj nam se!
Trinité Sainte, un seul Dieu, ayez pitié de nous!

Duše Sveti, Bože, smiluj nam se!
Esprit Saint, Dieu, ayez pitié de nous!

Sveta Marijo, moli za nas!
Sainte Marie, prie pour nous!

Sveti Abrahame, moli za nas!
Saint Abraham, prie pour nous!

Saint Moïse …
Saint Élie … (*)
Saint Pierre et saint Paul …

Partie de l'Éternité de Dieu, la litanie traverse les temps à la recherche de l'Agneau de l'Apocalypse en invoquant au passage les Archanges, les Patriarches, les Prophètes, les Apôtres, les Martyrs, les Pères de l'Église et les saints de tous les continents:

Saint Augustin — d'Afrique
Saint Cyrille et Saint Méthode — de Grèce

---

* Saint Élie est le protecteur de la Bosnie.

Saint Bernard — de France
Saints John Fisher et Thomas More — d'Angleterre
Sainte Thérèse d'Avila — d'Espagne
Sainte Élisabeth — de Hongrie
Saints Isaac Jogues et Jean de Brébeuf — du Canada
Sainte Rose de Lima — du Pérou
Sainte Maria Goretti — d'Italie
Saint Nikola Tavelić — de Croatie.

Agneau de Dieu,
qui enlèves le péché du monde,
aie pitié de nous!

*Jaganjče Božji,
koji oduzimaš grijehe svijeta,
smiluj nam se!*

Mirjana est venue de Sarajevo. La plus tragique des voyantes, selon Laurentin (LS, mars 85, 13). Elle porte les dix secrets. "Le huitième secret, a-t-elle confié en entrevue, était pire que les sept autres. /.../ Puis vint le neuvième secret, encore pire, et le dixième était carrément effroyable et il ne peut être aucunement atténué. On peut se préparer spirituellement, ne pas paniquer, se réconcilier intérieurement, être prêts à tout, accepter Dieu sans en avoir peur puisqu'Il est en soi, accepter la mort paisiblement, sachant qu'on sera accepté de Dieu" (F, 73). "Une seule parole me suffit pour pleurer toute la journée" (LS, mars 85, 13).

Elle est entourée d'enfants qui l'adorent. À vingt ans, c'est maintenant une femme. Elle est blonde, avec les cheveux courts et ondulés, vêtue avec l'élégance impeccable de la ville. Attentive aux enfants, elle leur sourit, prend un petit garçon dans ses bras et lui parle doucement, avec un souci évident de respecter la célébration de la messe, déjà rendue au sermon.

Jakov a commencé à bouger; on sent qu'il lui faudrait une récréation. Mais le célébrant a de l'inspiration, les périodes s'allongent et prennent du volume.

Jakov regarde Ivanka, il lui sourit, il va lui parler. Il lui parle! Et elle répond!

Ils me frappent. Ils sont beaux, chics, à la mode et indisciplinés. Les voyants parlent pendant le sermon! Bien sûr, le sermon est long. Plus réaliste, notre Dame leur demande dix minutes ... L'histoire nous dira si la Madone les ramènera à l'ordre à l'apparition de sept heures moins vingt. Si elle le fait — nous le savons par Vicka —, "elle ajoutera quelque chose, et tout redeviendra beau. Il n'y aura pas de punition, elle les encouragera" (B, 147).

Autour d'eux, tout Bijakovići demeure impassible et l'incident passe comme un frémissement imperceptible sur une eau sans rides.

La messe avance, le silence s'installe et approfondit la conscience.

Agneau de Dieu,
Qui enlèves le péché du monde,
Donne-nous la paix!

Jaganjče Božji,
Koji oduzimaš grijehe svijeta,
Daruj nam mir!

MIR: Paix, écrit dans le ciel de Međugorje le 6 août 1981, en lettres très brillantes (LR, 76). C'était le jour de la Transfiguration. Ce mot résume tous les messages (LR, 75).

Tout ce qu'elle a fait, a dit Vicka, les guérisons, elle l'a fait pour appeler les gens à vivre en paix avec Dieu. Ce n'est pas pour rien qu'elle a écrit dans le ciel: *Paix aux hommes*. Et les hommes ne peuvent pas avoir la paix s'ils ne vivent pas en paix avec Dieu (B, 95). C'est l'expression par laquelle Marie prend congé des voyants: "Allez dans la Paix de Dieu!" (LR, 56-75).

Que veut dire la Madone? Saint Paul pourrait nous répondre (*Rom*, ch.4-5):

> Si vous êtes quelqu'un par vos actions, c'est à vous-même que vous le devez. Vous pouvez vous enorgueillir, la gloire vous est due. Mais, attention! Pas devant Dieu! Vous êtes quelqu'un devant Dieu lorsque Lui-même, gratuitement, sans que vous le méritiez, vous suggère de ne plus porter vos péchés à votre compte, et vous fait vivre, vous, mort, vous appelant à l'existence, vous qui n'existez pas.

> Voilà l'invitation. Maintenant que ferez-vous? Comprenez d'abord que vous êtes un impie. Si vous pouvez devenir quelqu'un

aux yeux de Dieu, c'est parce que Jésus a accepté de donner sa vie pour vous. C'est grand car c'est à peine si l'on voudrait mourir pour un juste. Mais vous n'en valiez pas la peine et pourtant Il l'a fait.

Et parce qu'Il l'a fait, vous pouvez, espérant contre toute espérance, croire en Lui, notre Seigneur, livré pour vos fautes et ressuscité pour que vous ayez la plénitude de la vie.

Croyant en Lui, vous serez en Paix avec Dieu. Vous aurez accès à la grâce. Votre détresse produira la persévérance, la persévérance la fidélité épouvée, la fidélité éprouvée l'espérance. Alors l'amour de Dieu sera répandu en vos coeurs par l'Esprit Saint.

Agneau de Dieu,
Qui enlèves les péchés du monde,
Donne-nous la Paix.

''Méditez, dit notre Dame, comme le Tout-Puissant, aujourd'hui encore, souffre à cause de vos péchés'' (message du 29.3.84).

Aujourd'hui encore! ... Međugorje, c'est la douleur, le sacrifice librement consentis pour enlever le péché du monde, selon les paroles de notre Dame: ''Portez votre croix. Par la Croix, Dieu se glorifie en chaque homme'' (message du 23.11.84).

Les voyants ont eu de grandes peines, surtout Mirjana, qui était seule et loin. Personne ne la comprenait et nombreux étaient ceux qui la mettaient à l'épreuve et tentaient de la séduire (B, 89).

Ivanka s'est consacrée tout entière pour six mois (LS, mars 85, 14).

Vicka jeûne pour l'évêque et demande pour lui cette plénitude de lumière et de grâce qu'on demande pour ceux qu'on aime (LS, déc. 84, 16).

Lors d'un interrogatoire, on a mis Mirjana à la morgue, puis avec des fous (K, 93).

Tous ont souffert, et ils le font encore, soutenus par l'exemple de leur Mère, qui leur a dit: ''Si vous saviez ce que j'endure, vous ne pécheriez plus'' (LS, déc. 84, 29).

Agneau de Dieu,
Qui portes le péché du monde,
Donne-nous la Paix.

La messe est terminée. Jakov est là devant moi avec Ivanka. Il ne dit rien mais tout est dit: je lui ai promis quelque chose hier, alors qu'est-ce que c'est?

Je suis un peu confuse car, en partant ce matin, j'ai trouvé ce canot d'écorce encombrant et j'ai senti un certain embarras à la pensée de le lui remettre au cimetière. Il est donc resté sur le pied du lit. Mais Jakov n'est pas déçu; je passerai demain vers deux heures.

— Je t'ai aussi apporté quelque chose, Ivanka.

Elle me donne trois tapes douces et amicales sur l'épaule et, dans un large sourire, m'offre toute son affection. Qu'elle est belle! La Madone ne doit pas sourire autrement.

Qu'ils sont différents dans la sérénité de Bijakovići où, délivrés des caméras et des entrevues, ils peuvent déposer leur statut de voyants!

À la sortie du cimetière, Mirjana d'Anđelko n'a écouté que son coeur et a payé trop de crème glacée. Les enfants la bénissent.

Je revois tous mes amis de Bijakovići: Zora, ma voisine et son père, les enfants de Gojko le propriétaire de taxi, Krešo le miraculé. Depuis un mois que je vis ici, j'ai fini par être de la famille. On pourrait penser que c'est parce que je parle la langue, mais cela n'expliquerait pas tout. J'ai envoyé à Bijakovići des amis qui ne savaient pas deux mots de croate et qui ont été reçus comme Jésus en personne. Voilà l'hospitalité de Međugorje, la même qui nous attend chez Anđelko et Iva Ostojić, de l'autre côté du champ de tabac que je traverse maintenant en souliers à talons hauts, sous les plaisanteries amicales dont on me fait l'honneur.

La maison est pleine. Iva s'est surpassée et Anđelko sert son meilleur vin avec une fierté où passe une grande et solide affection:

— *Samo jedna Liza!* Il n'y a qu'une Lise!

J'aime croire que c'est un homme comme lui qui eut droit au miracle de Cana.

Iva, Mirjana et les femmes s'affairent dans la cuisine, voyant à tout. Elles ont le geste efficace et l'oeil averti. Rien ne manque et les invités peuvent s'abandonner à la joie de la fête. Le café servi, elles n'apparaîtront pas au banquet mais s'assoiront comme elles le pourront autour d'une table basse et mangeront quelque chose dans la cuisine **, en échangeant des phrases simples et les sourires qu'on n'a pas besoin d'expliquer.

** En croate, le participe passé s'accorde avec le sujet du verbe: *io* pour le masculin, *la* pour le féminin. *Ivo nije radio* = Ivo n'a pas travaillé; *Marija nije radila* = Marija n'a pas travaillé. Une seule exception, remarquable: pour le verbe cuisiner, il n'y a qu'une forme possible: *kuhala*, féminin ... (Barac-Krostenčić et al., A: p. 92, B: p. 121).

Stanko et Zlata, les parents d'Ivan:
— Prenez au moins un verre d'eau!

La plus belle photo d'Ivan.

130

XXVII

LA PLUS BELLE PHOTO D'IVAN

27 mai. Sous le soleil brûlant de deux heures, j'erre dans Bijakovići, à la recherche de la maison d'Ivan et de Jakov, pour leur remettre un souvenir du Canada. Mais c'est l'heure de la sieste et les patios sont déserts. Je suis sur le point de retourner, lorsque j'entends du bruit dans une cuisine. J'entre m'informer. La femme laisse là son travail et enlève son tablier:

— Vous allez vous perdre. Mieux vaut que j'aille avec vous.

— Mais non! Avec la chaleur qu'il fait!

Elle n'écoute pas, me conduit chez Ivan et repart, me laissant à peine le temps de la remercier.

Lui n'est pas là, de sorte que je me retrouve en face de ses parents. Ils sont assis à la table du patio. Zlata décortique de gros pois verts en cosses. Stanko est assis et se repose après le repas. Ante, le frère de Vicka, est là. Et je suis plantée debout, avec l'air vaguement confus d'une intruse, cherchant à expliquer ma présence:

— Vous êtes les parents d'Ivan?...

— Oui ... Mais vous parlez croate! Asseyez-vous un peu. Prenez au moins un verre d'eau.

C'est bienvenu.

— Je repars dans quelques jours. Je veux laisser à Ivan un souvenir du Canada. Le canot d'écorce est pour Jakov, et le totem pour Ivan.

J'explique que les Indiens y sculptaient les dieux protecteurs de la tribu et les plaçaient à l'entrée du village. Ante sourit:

— Je ne sais pas ce que Gospa va en penser.

Sur le coup, je ne sais que lui répondre, mais nous savons que Gospa est respectueuse des croyances: un jour, un prêtre s'étonna devant Marija qu'un enfant tzigane de religion orthodoxe fût guéri à Međugorje. Marija en fit part à la Vierge, qui lui dit:

— C'est vous qui vous êtes divisés sur la terre. Les musulmans et les orthodoxes, comme les catholiques, sont égaux devant mon Fils et devant moi, car vous êtes tous mes fils. Nous devons respecter chaque homme dans sa foi. Un homme ne devrait jamais être méprisé à cause de ses convictions sur le chemin de la vie. Mais la puissance du Saint Esprit n'est pas aussi forte dans toutes les Églises. Tous les croyants ne prient pas de la même manière (L, 71; K, 59).

Stanko est resté énigmatique. Personne ne le fera se compromettre sur une question aussi délicate. Aussi bien changer de sujet:

— Il m'impressionne, Ivan. Je trouve qu'il vous ressemble, Gospodin Stanko.

Il est fier:

— Beaucoup! Et il ressemble peu à sa mère.

Les hommes rient. Gospođa Zlata sourit. Peut- être connaît-elle ce proverbe arabe que les pères enfoncent dans la tête des garçons: Sois le fils de ton père.

Ivan arrive avec le père Slavko et une photographe anglaise qui fait un reportage sur les voyants. Ivan s'asseoit sans parler, le reporter attend debout. Le père Slavko me voit, m'entend les saluer, m'ignore, constate que tout est prêt pour la photo, et repart sans avoir dit un mot.

La photographe déploie son arsenal, le patio devient un plateau de photographie. Elle fait la mise en scène, replace les pois et les plats: le tableau apparaît, parfait. Me laissera-t-elle glaner un modeste cliché? Mais il me faut d'abord la permission d'Ivan:

— Ivan, je peux prendre une photo de toi?

— *Ne...* Non...

Cela est dit avec tant de douceur qu'on a l'impression qu'il a refusé par devoir. Sa mère intercède:

— Accepte, Ivan. Cette dame est gentille.

Ivan l'est encore davantage. Il accepte même avec le sourire. J'ai le doigt sur l'obturateur, lorsque la photographe m'aperçoit:

— *Don't take this picture*! Vous n'avez pas le droit. Je suis un photographe officiel, on m'a promis l'exclusivité pour mon magazine.

Évidemment! Je fais des excuses et n'insiste pas, me disant en moi-même que, le reportage terminé, ces pois de magazine anglais redeviendront des pois de cuisine croate et qu'Ivan sera rendu aux photographes amateurs. On procède, on remballe. Prochain arrêt: Podbrdo. Ivan suit. Déçue, je vois ma photo disparaître au tournant de la route. Zlata s'en aperçoit, entre dans la maison et reparaît avec un album de photos d'Ivan, les regarde avec moi, puis revient à la toute première, qui est la plus belle, l'enlève de l'album et me la donne:

— Comme ça, vous en aurez une ...

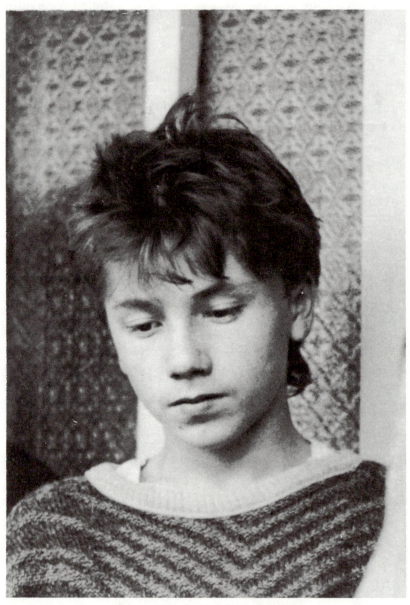

Jakov: "*Za Gospu*? Pour Gospa?"

XXVIII
JAKOV À BICYCLETTE

En revenant de chez Ivan, j'aperçois Jakov à bicyclette. Il m'a reconnue et s'arrête.

Il est là dans le soleil de deux heures, salopette bleu jean à la mode, chemise jaune et chapeau de paille: un amour d'enfant.

— J'arrive de chez toi, Jakov. Je t'ai apporté ton cadeau.

— *Što je?* Qu'est-ce que c'est?

— Je n'arrive pas à trouver le mot exact dans le dictionnaire. C'est une embarcation faite en écorce de bouleau par les Amérindiens, premiers habitants du Canada.

Il m'écoute, attentif. Il me vient à l'esprit que, depuis un mois à Međugorje, je l'ai rencontré pratiquement tous les jours sans prendre une photo de lui. Peut-être acceptera-t-il? Je sors la caméra:

— Jakov …

— *Ne, ne.* Non, non.

Le ton est carrément ennuyé. Il enfourche le vélo et va repartir.

— Jakov, attends un peu. J'ai un message à te remettre.

Un prêtre du Canada m'a donné un mot pour la Vierge, que j'ai accepté de remettre en mains propres à ce Jakov intraitable. Il se retourne:

— *Za Gospu*? Pour Gospa?

— Oui. C'est de la part d'un prêtre du Canada qui va venir en juin.

L'agacement a disparu. Il tend la main, prend le billet et le met dans la poche de sa chemise jaune.

Za Gospu... C'est un messager de Gospa qui repart à bicyclette. Il le sait, il l'entend depuis quatre ans que notre Dame lui apparaît: *Anđeli moji*: mes anges ... car c'est ainsi qu'elle les appelle.

Ange: envoyé, messager. L'ange exécute les ordres de Dieu auprès des hommes. La Bible affirme la présence, dans ses envoyés, du Seigneur lui-même auprès de ses fidèles: ''Hagar dit à l'Ange du Seigneur: Tu es Dieu qui me voit.'' (note de TOB sur *Gn*, 16, 13).

J'ai donc devant moi Dieu qui me voit. Je pourrais revenir avec la photo d'un ange à bicyclette, portant salopette bleue et chemise jaune, rencontré au lendemain de la Pentecôte dans la campagne de Međugorje. Je préfère rentrer au Canada avec le respect et l'amitié de Jakov Čolo — le sacrifice d'une photo créant dans mon coeur de la place pour cent images vivantes de ce garçon remarquable.

XXIX

MON SYMBOLE, C'EST LE VENT
APPARITION À PODBRDO

Lundi 27 mai. La messe est finie. Le soleil se couche dans un ciel sans nuages. L'air est bon. Je pars pour Podbrdo avec Pierre, Nathalie et Adèle *.

Pierre et Nathalie sont mariés. Ce sont des compatriotes. Elle a été professeur, lui est infirmier. Ils sont dans le Renouveau charismatique et exercent un charisme bien particulier: trouver dans l'Évangile des solutions aux problèmes du mariage chrétien dans le cadre de consultations privées. La chose a pris une telle ampleur qu'ils ont voulu faire le point. Au cours de leur réflexion, le pèlerinage à Međugorje s'est imposé comme une urgence. Ils ont donc sorti l'argent de leur REER ** pour venir réfléchir sur l'orientation à donner à leur Oeuvre.

Adèle est jolie, brune, grande, mince et française. Elle est arrivée à Međugorje en auto-stop, portant jeans et chemise à carreaux, accompagnée d'un truand italien expulsé de Marseille, rencontré dans une gare d'Italie, et qu'elle a convaincu de faire un pèlerinage pour le salut de son âme. Elle a toujours au cou un grand chapelet de corde qui lui descend jusqu'aux genoux et qui n'est pas passé inaperçu:

— Tout le monde le veut, mon chapelet.

Adèle est religieuse depuis un an. Moralement malmenée par cette année de noviciat, elle cherche à Međugorje le calme et la grâce qui portent les grandes décisions.

Nous allons vers Podbrdo, longeant une clôture entre deux champs de tabac, au pied de la masse imposante de Križevac,

---

* Pseudonymes
** REER: régime enregistré d'épargne-retraite.

qui ferme la plaine à notre droite. Les lignes vertes des plants se rejoignent à l'horizon, abolissant le rouge de la terre.

Il y a, dans cet alignement impeccable et sarclé, du soin, de la patience, du labeur, certainement une ferveur, quelque chose comme la paix définie par la philosophie classique: une tranquillité dans l'ordre.

Voici un dernier chant d'oiseau dans la fraîcheur du crépuscule. Nous nous arrêtons, le silence nous pénètre. À droite de Podbrdo, la lune monte dans le ciel.

> Dieu dit: Qu'il y ait des luminaires
> Au firmament du ciel...
> Il en fut ainsi.
> Dieu fit les grands luminaires,
> Le grand luminaire pour présider au jour,
> Le petit pour présider à la nuit (...)
> Il y eut un soir...
> (*Gn*, 1, 14 à 19).

Nous arrivons les premiers au sommet de Podbrdo. Nous nous séparons en silence. Je m'assois sur une pierre plate à droite de la croix.

La lumière pâle de la lune transfigure Podbrdo. Križevac porte noblement sa grande croix de béton. Dans la nuit sereine, sur un fond de silence, une cloche de chèvre.

Des pas sur les pierres: c'est Ivan. Je reconnais sa veste. Il nous regarde, perplexe mais sans plus, et vient s'asseoir près de la croix. Il est à ma gauche, à trois pas, recueilli. Si, comme on l'a dit, les apparitions étaient du théâtre, que ferait-il seul ici? Je me sens près de lui.

Des jeunes arrivent, surtout des filles. Elles ont dix-sept, dix-huit ans et apportent de petits bouquets de fleurs des champs. Un baiser à la croix, des fleurs déposées, l'impression d'une procession d'un instant, comme dans les églises russes avant l'office, quand les femmes, allant d'une icône à l'autre, allument un cierge et vénèrent d'un baiser l'image du saint, puis vont se placer près d'une amie qu'elles embrassent.

Ici, même simplicité, même recueillement. Ils se retrouvent et conversent familièrement, sourient. Ils ont le bonheur calme.

Ils sont maintenant une douzaine, accroupis ou assis par terre et attentifs aux premiers accords des guitares.

Dođi, dođi nam Gospodine
Viens, viens à nous, Seigneur.

À la question de Janko Bubalo: "Quel chant préfère notre Dame?" Vicka avait répondu:

— *Dođi, dođi nam.* Elle l'a parfois entonné elle- même. À plusieurs reprises, au cours de la même apparition parfois. Elle aime aussi *Kriste, u tvoje ime*: "Ô Christ, en ton nom" sur la mélodie de John Brown. Ce sont les deux chants qu'elle préfère (B, 91).

CHRIST, EN TON NOM

Kriste, u tvoje ime sad   smo   ovdje svi
Christ, en Ton nom maintenant (nous) sommes ici   tous

O   da,   mi   vjerujemo da   si tu i   ti.
Oh   oui, nous croyons   que (tu) es là aussi Toi.

Bez tebe   bili bismo bijedni,   preslabi.
Sans toi (nous) serions   malheureux, très faibles.

Za   život nam   snage   daj.
Pour (la) vie   à nous (des) forces   donne.

    Glory, glory aleluja,
    Glory, glory aleluja,
    Glory, glory aleluja,
    Za život nam snage daj.

Kriste, po ovoj gozbi svoje   ljubavi,
Christ, par ce   festin de ton amour,

Po kojoj uvijek   s   nama   htjede ostati,
Par lequel toujours avec nous (tu) voulus rester,

Ostani s   nama, blagoslovi svaki   dan,
Reste   avec nous, bénis   chaque jour,

Za život nam snage daj.
Glory …

Uskrsli   Kriste, tebi   vjerujemo mi,
Ressuscité Christ, en toi croyons   nous,

Da i   naš Uskrs   jednom mora svanuti,
Qu'aussi notre Résurrection une fois doit   se faire jour,

Al'   znamo da za   Uskrs
Mais (nous) savons que pour (la) Résurrection

Treba   trpjeti,
Il est nécessaire (de) souffrir,

Za život nam snage daj.
Glory ...

   Kriste u tvoje ime vaut qu'on s'y attarde. Comme l'explique
Vicka, c'est une adaptation du chant *John Brown* ou *The Battle
Hymn of the Republic* ***.

   Cet hymne, que l'on entend dans toutes les marches pour
la liberté, fut composé aux États-Unis en 1861, sur la mélodie
de la chanson *John Brown*, par le poète américain Julia Ward-
Howe, une femme de quarante-deux ans, qui avait gardé une foi
d'enfant dans le pouvoir de la divine Providence. C'était une
passionnée de justice. Avec son mari le Dr Samuel Howe, elle
avait fini par épouser toutes les causes, y compris celle de John
Brown, qui luttait contre l'esclavage, "forme d'oppression barbare
et sans motif, violation flagrante des vérités éternelles énoncées
dans la Déclaration d'indépendance américaine".

   La chanson était déjà célèbre lorsque le poète la connut.
L'air original avait été créé en 1850 par William Steffe, modeste
compositeur de chants méthodistes pour les classes de religion
du dimanche. Les premières paroles étaient :

Say, brothers, will you meet us (ter)
On Canaan's happy shore?
Glory, glory, Alleluyah (ter)
Forever, evermore.

Que diriez-vous, frères, de vous joindre à nous
Sur les rivages ensoleillés de Canaan?
Gloire, Gloire, Alleluia,
À jamais et toujours plus.

*** Toute l'explication de l'hymne vient de Maynie Krythe, Sampler of American
Folk Songs, p.113-132.

The Battle Hymn of the Republic

Julia Ward Howe

Air: "John Brown's Body"

1. Mine eyes have seen the glo - ry of the com - ing of the Lord; He is
2. I have seen Him in the watch-fires of a hun - dred cir - cling camps; They have
3. I have read a fier - y gos - pel writ in bur - nished rows of steel: "As ye
4. He has sound - ed forth the trump - et that shall nev - er call re - treat; He is
5. In the beau - ty of the lil - ies Christ was born a - cross the sea, With a

tram - pling out the vint - age where the grapes of wrath are stored; He hath
build - ed Him an al - tar in the eve - ning dews and damp; I can
deal with My con - tem - ners, so with you My grace shall deal." Let the
sift - ing out the hearts of men be - fore His judg - ment seat; Oh, be
glo - ry in His bos - om that trans - fig - ures you and me; As He

loosed the fate - ful light - ning of His ter - ri - ble swift sword, His
read His right - eous sen - tence by the dim and flar - ing lamps, His
He - ro, born of wom - an, crush the ser - pent with His heel, Since
swift, my soul, to an - swer Him! be ju - bi - lant, my feet! Our
died to make men ho - ly, let us die to make men free, While

Chorus

truth is march - ing on.
day is march - ing on.
God is march - ing on. Glo - ry glo - ry! Hal - le -
God is march - ing on.
God is march - ing on.

lu - jah! Glo - ry! glo - ry! Hal - le - lu - jah!

Glo - ry! glo - ry! Hal - le - lu - jah! His truth is march-ing on.

141

Vous aurez remarqué que la chanson n'avait que deux phrases pour être retenue facilement et ressembler aux *Negro Spirituals* — aux chants spirituels des esclaves noirs — alors fort populaires. Elle plût, fut adoptée et devint rapidement très connue, surtout dans l'armée, où elle servait de chant de marche. Or il arriva que des soldats changèrent les paroles pour faire une plaisanterie à leur camarade John Brown:

John Brown's Body lies mould'ring in the grave;
His soul is marching on.

Le corps de John Brown gît dans la fosse;
Mais son âme continue sa marche.

Alors s'introduisit une confusion entre le John Brown du régiment et le célèbre John Brown qui, ayant pris fait et cause pour les esclaves du sud des États-Unis, s'était attaqué à l'armée du sud, avait été pris en embuscade et pendu publiquement, devenant aux yeux du peuple un héros national.

Le sens de la chanson changeait radicalement. Il s'agissait maintenant d'un hymne à l'héroïsme: ''Vous avez pendu John Brown. Son corps est en terre mais son âme, bien vivante, poursuit sa marche.''

Pratiquement tous les bataillons de l'armée des États-unis l'adoptèrent. L'hymne traversa même l'Atlantique et fut chanté par les armées d'Angleterre et du Soudan.

À la fin de la guerre civile en 1861, les États-Unis voulurent un hymne national et invitèrent publiquement les écrivains à soumettre des textes sur la mélodie de John Brown. On cherchait en vain le poème inspiré, lorsque Madame Julia Ward-Howe vint à Washington à l'occasion d'un voyage d'affaires de son mari. Elle était connue comme poète: on lui suggéra de présenter des strophes.

Elle avait été impressionnée par les campements militaires entourant Washington comme une ceinture d'acier, les feux des bivouacs, les canons défiant l'agresseur, les mouvements des troupes aux abords de la ville. La guerre lui était apparue comme le conflit tragique entre Dieu et l'Adversaire.

Elle retint la suggestion. Une nuit passa, l'idée s'imposa et, dès le lendemain à l'aube, elle écrivit d'un trait le poème entier avec une mauvaise plume sur le papier de la Commission d'hygiène de Washington:

J'ai vu de mes yeux le Seigneur avancer dans la gloire,
Fouler aux pieds la vendange des raisins de la colère,
Laisser libre cours à son glaive terrible et rapide.
Sa vérité s'est mise en marche.

Je L'ai vu dans les feux de veille
De cent bivouacs entourant la ville,
Qui Lui faisaient un autel dans la rosée de la nuit.
Je peux lire la sentence de Sa Justice
À la pâle lueur des lampes vacillantes.
Son Jour s'est mis en marche.

J'ai lu les versets d'un Évangile de feu
Gravé dans l'acier des canons alignés:
Comme vous traitez mes contempteurs,
Ainsi Ma Grâce vous traitera.
Que le talon du Héros né de la femme écrase le serpent,
Car Dieu s'est mis en marche.

Il a fait jouer la trompette
Qui ne sait pas sonner la retraite.
Il passe au crible le coeur des hommes
Devant le trône de Son Jugement.
Soyez prompte, mon âme, à répondre à Son appel,
Exultez, mes pieds,
Car Dieu s'est mis en marche.

Dans la splendeur des lys,
Le Christ est né par-delà les mers,
Il porte en Lui la gloire qui nous transfigure.
Comme par Sa mort nous accédons à la sainteté,
Que notre mort redonne à l'homme la liberté,
Puisque Dieu s'est mis en marche.

Elle reçut, selon les sources, quatre ou cinq dollars. Le poème lui valut la renommée mondiale. À l'heure actuelle, il se retrouve dans les recueils d'hymnes de religions de toutes dénominations et on le chante aux quatre coins du monde, chaque fois que des hommes marchent pour la liberté.

Or, ce soir, au sommet de Podbrdo, le groupe d'Ivan marche pour la liberté spirituelle de l'humanité. Quoi de plus normal que ce chant, mené avec enthousiasme? Et, de plus, Gospa l'aime!

Des voix sonores, des rires, des pas sur les pierres du sentier: arrive un groupe d'Allemands dans la vingtaine, dont la montée de Podbrdo n'a entamé ni l'énergie ni l'ardeur religieuse.

Ils se joignent spontanément au deuxième chant, dansant et battant des mains. Les Croates leur sourient et le chant se termine, porté par l'exubérance charismatique allemande et la ferveur réservée de l'Herzégovine.

L'enthousiasme augmente avec le chant. Sans crier gare, le groupe charismatique lance un deuxième cantique sur un air folklorique allemand. Le leader a le bras levé comme pour le salut au führer. Comment ne pas frémir? Comment oublier d'autre part que, dans la moitié du psautier, le Dieu de la Bible est un Dieu des armées, que c'est à *Sabaoth* Dieu des Armées que s'adresse le *Sanctus* de la Messe? Saint Jean de la Croix pourrait nous aider à comprendre que l'Armée de Dieu est le bien en nous et que l'ennemi est le mal qui nous assiège (*La montée du Carmel*) — ce qu'avait d'ailleurs saisi Julia Ward-Howe.

Le contrepoint des cultures redonne la parole à la Bosnie-Herzégovine. Viennent des chants profonds, comme au troisième temps d'un feu de camp, lorsque les charbons sont rouges et que les flammes sont basses, jaunes et bleues.

Trois accords de guitare s'éteignent, puis c'est le silence. Un bruit de chapelets. Le récitant fait le signe de croix pour commencer, mais il est interrompu: le leader du groupe allemand vient vers Ante, le frère de Vicka, lui emprunte la guitare et commence un cantique en solo. La musique suit son cours, personne ne bouge. Ante veille, non pas en vain, car le soliste prépare une deuxième chanson. L'autre fronce les sourcils:

— Ohoho …

Il est debout et reprend la guitare avec une autorité croate. L'ordre rétabli, le chapelet commence.

Vjerujem u Boga, Oca svemogućega,
Stvoritelja neba i zemlje...
Je crois en Dieu, le Père tout-puissant,
Créateur du ciel et de la terre …

Juste derrière moi, les pierres ont bougé, quelqu'un s'est agenouillé. C'est Vicka, je le sais et je ne me retourne pas. Le temps d'un chapelet qu'elle déroule, et sa belle voix slave empoigne le *Credo* qu'elle soulève avec force. Après un mois à Međugorje, ces prières se sont lentement enracinées en moi, comme le tabac qu'on plantait à mon arrivée. C'est le *Pater*, l'*Ave*, le *Credo* et le *Gloria* de Vicka que je sais, pour les avoir appris sur ses rythmes à elle et ses intonations âpres.

Prier avec Vicka, c'est la laisser prier en nous comme Marie prie en elle. Aussi je récite en ce moment le plus beau chapelet de ma vie, faisant de chaque *Ave* une fleur déposée sur cette colline pour la venue de notre Dame.

Le chapelet se termine, Vicka se lève. Elle me donne deux bonnes tapes sur l'épaule et me regarde droit dans les yeux avec un grand sourire:

— *Kako si*? Comment ça va?

— *Dobro, dobro*! Bien. Bien.

Elle me tend la main, large, solide, généreuse. Elle s'attarde. Au fond de son propre sourire, il y a celui de Dieu et, dans sa main, son amitié. Vicka me laisse, fait trois pas, s'agenouille avec Ivan et Marija. Cette nuit, ils sont tout près de la croix, ils pourraient la toucher.

La nuit s'immobilise dans le silence absolu qui va précéder l'apparition.

Oče naš, koji jesi na nebesima ...
Notre Père qui es aux Cieux ...

Que ton nom soit sanctifié,

Que ta volonté soit faite

Comme au Ciel, sur la terre ...
Kako na nebu tako i na zemlji ...

De la droite de la croix, venant sur nous, arrive soudainement en force un grand vent, sonore, froid, saisissant, qui, durant une minute, occupe la colline et rentre subitement dans le silence ...

C'est le symbole de notre Dame. Le 15 février 1984, par un temps très froid, avec un vent glacial, la Vierge a dit: ''Le vent est mon symbole. Je viendrai dans le vent. Si le vent souffle, sachez que je suis avec vous'' (LS, déc.84, 31).

Plus rien. Le *Pater* s'est arrêté, Vicka sourit à Marie, la colline est entrée dans l'éternité.

— *Koji jesi na nebesima*. Qui es aux Cieux…

De nouveau, la voix des voyants. Nous n'avons pas entendu "Notre Père"; c'est notre Dame qui l'a dit. Suit un *Gloria*. Nous le savons par les entrevues de Vicka: "Notre Dame est toujours debout, les bras ouverts. Quand on récite *Notre Père*, elle a les mains un peu ouvertes et les paumes tournés vers l'extérieur. Elle a quelquefois les mains jointes pendant qu'on récite *Gloire*" (B, 91).

Les voix se sont tues, c'est le silence de l'extase. Dans un autre univers, Vicka converse avec Marie. Ivan et Maria la regardent intensément, parlent peu.

Je me souviens de toutes les intentions qu'on m'a confiées durant le mois:

— Mes enfants ne pratiquent pas leur religion …

— Mon fils est muet …

Salut, ô Reine,
Mère de miséricorde! …

— Mon mari me bat …

Enfants d'Ève, nous t'appelons,
Malheureux exilés,
Gémissant et pleurant
Dans cette vallée de larmes …

— Voyez, l'arthrite me tord les mains. Demandez pour moi un peu de répit. *Un po'!* … un peu. *Pochino*! … un petit peu …

Vicka converse avec Marie. Le sujet est grave. Maintenant elle est triste … Un haussement d'épaules …. Elle essuie une larme …

Le mystère de l'extase plane encore un moment, immobile, pénétrant toute la vallée.

— *Ode* … Elle est partie …

Ivan se retourne, le groupe s'approche:

— Elle a dit: "Molite, molite, molite! (Priez, priez, priez!) car Satan est très actif. Dans ces moments pénibles, récitez un *Pater* et un *Gloria*."

Vicka s'est levée. D'un pas rapide, elle s'éloigne en silence.

À peine quelques paroles échangées, le groupe se défait. Nous reprenons le sentier et descendons en silence jusqu'au pied de Podbrdo. Mes amis hésitent à me laisser à la croisée des chemins.

— Tu es sûre de ne pas avoir peur? Si tu veux, nous te reconduisons chez Anđelko.

Non, je n'aurai pas peur. Je peux marcher seule dans la nuit, car j'ai le coeur à la joie, comme les deux hommes d'Emmaüs qui se répétaient, Jésus parti: "N'est-ce pas que notre coeur brûlait en nous tandis qu'il nous parlait en chemin?" (*Luc*, 24, 32).

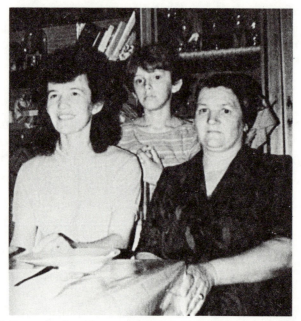

Vicka, assise à table avec sa mère. Debout, son petit frère.

Vicka et l'auteur. *"Možeš, možeš*! Tu peux, tu peux!"

XXX

PITIÉ, SEIGNEUR
APPARITION CHEZ VICKA

Le 29 mai. Il est deux heures. Ce matin, le temps s'est couvert, la chaleur est humide et l'air est pesant. Je suis avec Pierre et Nathalie * sur le sentier rocailleux de Podbrdo. Je leur ai promis d'essayer de leur faire rencontrer Vicka. Mais l'atmosphère n'était pas propice et j'ai suggéré une formule de rechange:

— Allons d'abord à Podbrdo. Au retour, nous passerons chez elle et nous verrons.

En moi-même, j'espère de tout coeur qu'ils pourront la rencontrer car ils ne mettront pas, à leur retour, la lampe sous le boisseau (*Matthieu*, 5).

Quelqu'un nous dépasse. C'est Ante, le frère de Vicka. Il a son parapluie. Lorsque nous atteignons le sommet de la colline, nous le voyons assis devant la croix, récitant son chapelet, recueilli. Plus loin, un homme dans la trentaine, en prière lui aussi. Il est de la paroisse.

Durant ce mois à Međugorje, je me suis attachée à ce peuple. Je récite lentement le rosaire en croate. Le ciel est gris sur Podbrdo silencieux. Peu à peu, une grande paix gagne tout l'être. Il s'écoule le temps d'un long chapelet avant qu'Ante se lève et se déplace pour voir Križevac. C'est ma chance de lui parler:

— Je pars demain pour le Canada. J'ai beaucoup d'admiration et d'affection pour ta soeur. Elle est extraordinaire.

— Oui. Elle est tellement accueillante, et toujours avec le sourire …

---

* Pseudonymes. Voir le chapitre précédent.

— Elle souffre …

— Beaucoup … C'est entre elle et Dieu …

Il a fait un geste vers le ciel.

— Penses-tu que je peux aller la voir?

— Oui, oui, tu peux.

Mes amis sont heureux, et moi davantage car je ne pensais pas la revoir.

Nous revenons. C'est l'heure de la sieste; le village assoupi se transforme en désert. Chez Vicka, rien ne bouge.

Pierre et Nathalie m'attendent dans la rue. Je pousse la porte de la clôture et traverse le patio, ayant à la fois l'impression d'être chez moi mais de violer un espace sacré.

Depuis quatre ans que durent les apparitions, ce lieu demeure impénétrable. Est-ce la barrière du croate? C'est sûrement un rempart redoutable, mais il y a plus: Vicka est décontractée, elle porte des chandails du *Super Bowl*, se laisse embrasser par les Italiennes et lance des *Ciao!* sonores. Mais elle n'est pas d'ici. Elle a été invitée dans un univers que, faute de mieux, nous appelons l'au-delà, dont l'atmosphère enveloppe tout ce qui l'entoure, et jusqu'au patio que je traverse en ce moment.

Dans le silence et la pénombre, Vicka est assise à table avec sa mère devant une tasse de café. Elles se reposent. Elles portent déjà le poids du jour. Mais Vicka me voit. Elle sourit: la pièce s'illumine, tout revit. Elle laisse le café, se lève, vient vers moi. J'en oublie que je la dérange; nous sortons dans le patio.

— Vicka, je pars demain pour le Canada. Je suis passée hier te laisser quelques souvenirs.

— *Da, da.* Oui, oui. Les drapeaux du Québec et du Canada, le sirop d'érable, les carnets …

Elle se rappelle tout le contenu du sac, telle une guide modèle se jouant d'un test d'observation. Elle est heureuse, j'ose faire ma demande:

— Pierre et Nathalie aimeraient que tu présentes leur requête à notre Dame …

150

Elle leur tend la main. Ils lui remettent pour Marie une note en croate.

— Si Marie voulait nous éclairer sur l'orientation de notre Centre ...

Vicka sourit et dit simplement:

— Je vais prier pour vous.

Elle n'en dira pas davantage. Pierre et Nathalie comprennent et n'insistent pas.

Ce n'est pas toujours aussi simple. Les gens s'obstinent: "Vous allez me traduire ceci en croate pour que Vicka comprenne bien! Et vous allez attendre la réponse. Vous me le promettez? Pour moi, c'est très important!" L'existentialisme a insisté bien inutilement: nous sommes tous uniques et la moindre décision sur nos affaires quotidiennes est cruciale. J'ai demandé moi aussi des réponses claires à des questions claires. Mais ces voyants nous apprennent qu'une seule chose compte et qu'Abraham ne viendra pas nous dire quoi faire. Dans son entrevue avec Jakov, Laurentin a demandé (LR, 71): "Notre Dame vous a-t-elle dit ce que vous devriez faire dans la vie?" (...) Réponse de Jakov: "Je lui ai demandé si je devais devenir prêtre. Elle m'a dit: c'est à toi de décider."

Trois pas dans le chemin, la porte du patio qu'on pousse: Ante revient de Podbrdo. Il nous reconnaît:

— Canada! Canada! Canada!

Le patio résonne de rires spontanés. Ante rit aussi, traverse la cour en trois pas et entre se reposer. Il est là, il n'est plus là. Arriver, partir. Simplement. Surtout sans discours. C'est le secret des paysans, qui a permis à Bijakovići de survivre aux vagues de pèlerins.

Pierre et Nathalie ont pris des photos et nous allons partir.

— Vicka, est-ce que je pourrai t'écrire?

— *Da, možeš.* Oui, tu peux.

Elle me serre fort. J'ai de la peine à penser que je ne la reverrai pas. Elle sourit calmement. Je veux aussi prendre une photo.

— *Možeš, možeš.*

Možeš: tu peux. Tu peux me toucher, m'embrasser, me faire signer des autographes. Oui, il peut me photographier, mais pourquoi pas aussi ma mère, mon patio, mes poules et l'escalier extérieur qui mène à ma chambre? Oui, vous pouvez m'interviewer, me contre-interviewer, me faire répéter pour la centième fois que je songe à entrer chez les soeurs et que le voile de la Madone était blanc. Et toi, l'homme de science, tu peux m'appliquer des électrodes aux tempes pour vérifier l'authenticité de mes extases. C'est ainsi depuis quatre ans, tous les jours: "Si quelqu'un te demande ton manteau, donne-lui aussi ta tunique" (*Luc*, 6, 29). *Da, možeš* ...

Voilà Paul *, un Français de passage qui guide des pèlerins canadiens:

— Lise, je suis avec tes compatriotes. Ils vont redescendre de Podbrdo. Sois gentille, demande à Vicka si elle n'a pas un message pour eux.

Des gens passent, me voient chez Vicka, en profitent pour arrêter. Et la voilà accaparée. Nouvelle séance de photos, signature d'autographes, messages pour la Vierge. Elle se laisse envahir. Je pense à la remarque de Ljubić: "L'amabilité et la patience de Vicka dépasse toutes les limites humaines habituelles" (L, 138).

Nous lui remettons nos peines, elle nous donne un sourire. Pour elle le poids, pour nous la consolation. Une épine contre une rose. Et c'est ainsi depuis quatre ans. Cependant, peut-être pour Pierre et Nathalie, je vais retourner lui demander si je peux assister à son extase ce soir. Elle ne m'a pas comprise:

— *Da, možeš mi pisati.* Oui, tu peux m'écrire.

— Non, Vicka. Pas écrire! Prier! *Moliti!*

Elle me prend à part, tourne le dos au groupe et me regarde droit dans les yeux, avec le doigt sur la bouche. J'ai compris: c'est oui et c'est un secret militaire. Je baisse la voix:

— Pierre et Nathalie peuvent-ils venir?

---

* Pseudonyme.

Elle hésite une seconde, puis une autre, et, du même geste, me commande le même silence:

— *Puno …*

Puno: plein, il y en aura plein; c'est-à-dire: taisez-vous, sinon nous aurons une foule. Compris.

Pierre et Nathalie repartent au comble de la joie. Nous nous retrouverons ici même à six heures. Et j'attends le groupe québecois, qui ne met pas long à arriver. Deuxième vague de débarquement, caméras à l'appui. Paul s'avance:

— Lise, explique à Vicka qu'ils sont du Québec et lui demandent un message de la Vierge.

Je traduis. Vicka écoute, sourit. Elle va leur répondre en croate. Les visages s'éclairent.

— *Molitva, post, obraćenje, mir*.

Prière, jeûne, conversion, paix. Priez pour avoir la force de jeûner. Jeûnez pour voir clair et vous convertir. Convertissez-vous pour obtenir la grâce. Et vous aurez la Paix. En quatre mots, Vicka a résumé le message de Međugorje. Le groupe est avide d'en connaître le contenu.

La traduction passe, les visages s'éteignent. Trop austère, ce discours, normal, ordinaire, entendu tant de fois. La phrase est là, déposée devant le groupe comme un cadeau mal choisi. Personne ne parle. Mais le silence devient lourd et une femme n'y tient plus:

— Demandez à Vicka de nous parler du purgatoire et de l'enfer.

Cette fois, j'ose m'interposer:

— Mieux vaut vous résigner, madame. Vicka parle rarement de ces questions. Lisez plutôt les livres, tout cela a été dit.

Le groupe se défait, les gens repartent, Vicka leur sourit.

* * *

Nous avons rendez-vous à six heures. Nous avons été précédés dans la chambre de Vicka par l'équipe de reportage de

Grande-Bretagne. Une femme photographe fait les préparatifs avec une assistante, un technicien du son et une traductrice croate. Il y a déjà quatre personnes dans cette pièce, cinq avec Vicka, huit avec nous trois. Quelqu'un est de trop, nous le sentons. Cette impression devient encore plus pénible lorsque apparaissent dans le corridor la mère et la tante de Vicka. Personne ne sait quoi dire et le malaise est à son comble.

Il se passe quelques minutes interminables. À force de ne pas savoir où regarder, nous avons fini par jeter les yeux sur un modeste coussin posé par terre, et qui, peu à peu, va prendre l'importance du fauteuil réservé à l'invité de marque.

Vicka paraît, détendue. Elle nous sourit, pose son réveille-matin sur une table et s'agenouille sur ses talons dans la posture des carmélites. Elle avise un coussin blanc qu'elle tire à elle et me fait signe de m'y agenouiller.

Vjerujem u Boga, Oca svemogućega,
Je crois en Dieu, le Père Tout-Puissant ...

Le chapelet démarre, tiré par sa voix solide. Elle le dit et répond avec nous. Pierre et Nathalie prient en français. Maintenant les prières croates me sont familières, je la suis bien. Elle sourit, me laisse aller seule dans le Notre Père.

Kruh naš svagdanji daj nam danas ...
Donne-nous aujourd'hui notre pain de ce jour ...

Elle me regarde, sourit de nouveau.

Nous terminons la troisième dizaine. Elle ouvre la Bible et cherche avec insistance un passage précis (Ps. 31 (30), v. 2, 3, 6, 8, 10, 11, 12, 15):

PSAUME 31 (30)

Seigneur, j'ai fait de toi mon refuge,
que je ne sois jamais déçu!
C'est toi, mon roc et ma forteresse;
pour l'honneur de ton nom,
tu me conduiras et me guideras.
Dans ta main, je rends mon souffle.
Je danserai de joie pour ta fidélité
car tu as vu ma misère et connu ma détresse.
Pitié, Seigneur! Je suis en détresse.
Ma vie s'achève dans la tristesse,
mes années dans les gémissements.

Le ton est calme et la récitation solide. Aucun frémissement dans la voix, pas une intonation où passerait la moindre douleur.

> Je suis injurié par tous mes adversaires,
> plus encore par mes voisins.
> Je fais peur à mes intimes.
> Mais je compte sur toi, Seigneur,
> je dis: "Mon Dieu, c'est toi."
> Mes heures sont dans ta main.

Elle ferme la Bible et baisse les yeux, s'arrête un instant, pose le livre et reprend son chapelet.

Oče naš, koji jesi na nebesima ...
Notre Père, qui es aux Cieux ...

Le ton n'a pas changé, ni le rythme, ni la force qui emporte la prière jusqu'à la cinquième dizaine. Elle regarde l'heure. Il n'est pas encore sept heures moins vingt. Elle reprend la Bible au livre des Psaumes et cherche un passage précis, qu'elle met du temps à trouver:

PSAUME 116 (114-115)

> J'aime le Seigneur
> car il entend ma voix suppliante,
> Il a tendu vers moi l'oreille,
> et toute ma vie je l'appellerai.
>
> Les liens de la mort m'ont enserré.
> Les entraves des enfers m'ont saisi.
> J'étais saisi par la détresse et la douleur,
> et j'appelais le Seigneur par son nom:
> "Eh bien, Seigneur, libère-moi!"

Pense-t-elle à sa vie tragique? "Il y a des moments où j'étais coincée de tous les côtés. Qu'est-ce qui m'arrive? Jusqu'où cela va aller? Pourquoi tout cela? Serai-je capable de supporter tout cela?" (B, 175)

> Le Seigneur est bienveillant et juste:
> Notre Dieu fait miséricorde.
> Le Seigneur garde les gens simples.
> J'étais faible et il m'a sauvé.
> Retrouve le repos, mon âme,
> Car le Seigneur t'a fait du bien.
> Tu m'as délivré de la mort.
> Tu as préservé mes yeux des larmes,
> et mes pieds de la chute,

pour que je marche devant le Seigneur
au pays des vivants.

C'est l'heure de l'apparition. L'équipe du reportage entre en action, je comprends que le temps est venu de retourner dans le coin de la chambre et je libère le plateau.

Vicka, paralysée par une crampe à la jambe, n'arrive pas à se lever. Il y a plus d'une demi-heure qu'elle est agenouillée, absolument immobile, dans la posture des Carmélites.

Riant de bon coeur, elle parvient de peine et de misère à s'asseoir par terre.

Elle a le rire si communicatif que même l'interprète croate en échappe sa neutralité. Maintenant l'assistante-réalisatrice masse la jambe de Vicka. Mais elle a beau s'y connaître, rien n'y fait. Et voilà Vicka qui rit encore plus fort.

La crampe finit par passer. Le reportage reprend ses droits, on replace les coussins, l'ordre photographique est restauré.

Vicka les regarde:

— Comme ça, c'est bien? Je peux mettre une deuxième chandelle, ici ...

Elle tient à leur faire plaisir. Eux sourient. Ils sont charmés, gagnés.

Elle est maintenant debout devant le Christ miséricordieux, immobile, recueillie, absolument seule. Tout s'arrête. À peine audibles, le mécanisme du magnétophone, le réveille-matin. Les regards se portent sur Vicka qui commence la prière:

—*Oče naš, koji jesi na nebesima...*
Notre Père qui es aux Cieux...

D'un seul mouvement, elle est à genoux, les mains jointes à la hauteur du visage, et converse avec Marie.

La photographe s'est mise au travail. Plongées, contre-plongées, profils, trois-quarts: la caméra s'active avec une efficacité professionnelle. L'objectif est partout, rien ne lui échappe. L'appareil s'approche, pénètre l'intimité, mais comme arrêtée mystérieusement à la frontière invisible de cet autre espace où la voyante est entrée par l'extase. Vicka ne voit pas cette caméra, elle n'a pas un regard de côté, pas un froncement de sourcils, pas un mouvement de paupières. Elle est seule, absolument seule avec la Reine du Ciel.

Elle va parler:

— *Ode* ... Elle est partie.

Vicka baisse le regard, donne l'impression de se reposer entre ciel et terre.

La photographe est là, caméra en mains, réduite au silence, l'émotion dans le regard, en train de comprendre ce qui vient d'arriver:

— *Oh! My God!* ...

"Mon Dieu!" Elle a dit ces mots les yeux fermés, presque à voix basse. Elle a dit exactement ce que je sentais. Aussi, lorsque nos regards se rencontrent, elle me fait un sourire que je n'oublierai jamais.

Vicka s'est levée. On l'entoure, elle serre des mains, illumine les visages, n'existe que pour nous.

Seule, à part, je ramasse mes phrases croates pour lui demander une dernière faveur:

— Je pars demain, Vicka. Veux-tu m'écrire quelques mots dans mon petit livre de prières croates?

Elle sourit, me demande mon stylo et prend le temps d'écrire:

Puno pozdrava i molit ćemo za tebe. Vicka.
Plein de saluts et nous prierons pour toi. Vicka.

Elle me remet le livre et le crayon.

— Au revoir.

Elle me serre fort. Je la rends à l'équipe de Grande-Bretagne et nous partons pour la messe, seuls sur la route étroite, inondée de lumière par le soleil couchant.

La pièce des apparitions. Là ou n'importe où...

Gojko Ostojić, taxi et maison de pension: ''Les invités de Gospa sont mes invités.''

158

XXXI

ZBOGOM MEĐUGORJE*

— *Liza, jesti*! Lise, manger!

C'est la voix d'Anđelko. Premier appel pour le petit déjeuner. Mes valises sont prêtes, c'est ce matin, 30 mai, que je retourne au Canada. Dalibor apparaît:

— Liza, il faut que je parte pour l'école. Je viens te dire bonjour.

Et il disparaît. Le coeur me serre. Arriver, partir: durant les trois dernières semaines, il n'a pas fait autre chose, ne trouvant plus sa place dans cette maison devenue une auberge de pèlerins. Cette place, il l'a donnée avec gentillesse, comme ses parents ont sacrifié leur temps et leur intimité familiale.

Dalibor redescend l'escalier. J'entends encore le poème qu'il me suggérait durant ma première semaine ici, lorsqu'il me donnait ma toute première leçon de croate:

JAVORU	À L'ÉRABLE
Narodna lirska pjesma	Poème lyrique national
Javor šetao	L'érable se promenait,
Djevojke gledao	Il voyait des jeunes filles
Pak je govorio:	Et puis il a dit:
"Koja je tu moja,	"Laquelle est là, mienne;
Javi se, djevojko,	Montre-toi, jeune fille,
Izmedj' djevojaka"	Parmi les jeunes filles."
"Evo me, javore,	"Me voici, érable,
Al ti neću doći.	Mais à toi je ne viendrai pas,
Dok mi ne sakrojiš	Jusqu'à ce que tu me tailles
Od maka košulju,	D'un coquelicot une chemise,
Od svile rukave!"	De soie, des manches!"

_____

* Adieu, Međugorje!

— C'est plus difficile, me disait-il, mais c'est plus beau.

Iva m'a préparé le grand déjeuner de départ: les crêpes et le café turc. Anđelko m'offre pour le voyage quatre litres de son meilleur vin et me tranche un bon morceau de jambon fumé que je mangerai dans l'autobus avec du pain d'Iva encore chaud. Un viatique princier.

Mais le temps passe trop vite et je me retrouve dans le patio, debout entre ma valise et un panier acheté à Čitluk, au moment dramatique des adieux. Nous nous embrassons. Anđelko dit seulement:

— Ma maison, ta maison, Liza.

Le reste du discours est tout entier dans ce panier de paille. C'est le pain d'Iva, le vin d'Anđelko, une assiette de bois de Mirjana, des marbres de Dalibor. J'ai aussi dans le coeur mille attentions, témoignage d'une affection sincère jamais démentie.

Avant de quitter Međugorje, il y a un autre adieu à faire à la chapelle des apparitions. Je laisse mes bagages et demande que Gojko, mon taxi, me prenne en face du presbytère. Et je pars pour l'église.

Je n'ai pas fait vingt pas que Bosa, ma voisine, m'a aperçue:

— Liza, arrête une minute, j'ai quelque chose pour toi.

Elle m'a préparé une bouteille de Trenk! "*S ljubavi!* Avec amour!" Nouveaux adieux, nouveau départ pour la chapelle des apparitions.

Tôt le matin, on y est seul. C'est encore frais, on entend les oiseaux. Mais la poésie de l'extérieur fait ressortir le caractère ordinaire de l'intérieur. C'est un endroit vacant. Un cardinal serait venu, on aurait fait un trône dans le choeur de l'église. La Reine du Ciel nous invite, elle nous rencontre là où le pouvoir civil le veut bien. Comme si l'on disait: "Bon! Vous pouvez toujours vous installer là."

"Là", c'était un débarras: 4,50 mètres sur 5,20 (LS, oct. 85, 31). Là ou n'importe où. Rien n'a donc changé depuis Bethléem où, quelque part, à une date dont on discute encore, cette Reine a donné naissance au Prince de la Paix pendant que des bergers, quelque part sur une colline, entendaient: "Paix aux hommes!" (*Luc* 2, 14).

Même paix ici, ce matin. Cela m'étonne, car on m'a souvent souhaité au cours de ce mois la grâce insigne de fondre en larmes: "Votre tour viendra!" Mais je suis là, réduite à la sérénité, strictement incapable de dire autre chose que "Merci!"

Je sors. Soeur Janja me voit. Sans s'arrêter, elle me fait pivoter en me donnant la main:

— *God bless you*! *Give my regards to everybody*.

Elle ne s'attarde pas. Debout depuis six heures, elle arrêtera vers onze heures du soir. Après les apparitions de Lourdes, Bernadette disait: "Je suis un balai. La Sainte Vierge s'en est servi, puis elle l'a remis dans le coin." Soeur Janja est un balai. Elle fait quotidiennement ce qu'il faut, avec douceur, méthode et intelligence, puis elle disparaît. Depuis 1981 ...

Il me reste à attendre Gojko, mon taxi, près du presbytère. Tout est calme. Un tracteur passe, tirant une voiture. Une femme y est assise, égrenant un gros chapelet. Elle me voit:

— *Hvaljen Isus i Marija*!

— *Hvalen Isus i Marija*!

Voici Gojko. Au moment de monter en voiture, mon regard se porte sur le grand Križevac où notre Dame a obtenu la permission de prier continuellement pour nous.

J'entends ses paroles à Ivan, lorsqu'elle le quittait à l'apparition du 28 août (L, 59): "Va dans la paix de Dieu, mon ange, avec la bénédiction de Dieu et la mienne. Amen! Zbogom!"

Hvaljen Isus i Marija! Zbogom Međugorje!

Le père Slavko Barbarić, o.f.m., particulièrement impitoyable pour les pèlerins du coucher de soleil.

XXXII

JE N'AI RIEN VU À MEĐUGORJE

Le 2 juin. Il est midi à Zagreb. Retardé d'un jour à cause d'un problème de mécanique, notre vol sur Montréal est annoncé pour 14 h 00. Je me dirige vers le parc de l'aéroport, respirer un peu. J'y rencontre un des passagers, nous parlons de la Yougoslavie, de Međugorje. Il est déçu:

— J'ai pris un forfait de trois semaines spécialement pour venir à Međugorje. Finalement, je n'ai pu y passer qu'une journée et je n'ai rien vu.

— Rien?

— Rien.

Durant un mois à Međugorje, j'ai vu le spectacle quotidien du pèlerin laïc désemparé sur la place de l'église. Plus souvent qu'autrement, il est venu de loin, a consenti un effort financier important — 930$ pour un aller-retour Montréal-Dubrovnik. Contrairement au touriste qui fait un détour en passant, il est ici pour ajuster quelque chose dans sa vie, en parler plus directement à sa Mère du Ciel.

Mais il a débarqué à Međugorje comme on arrive au poste frontière d'une route secondaire: le douanier est là ou n'est pas là, lève les yeux ou ne les lève pas, vous regarde ou ne vous regarde pas. Et vous êtes là, essayant de deviner si vous devez parler ou ne pas parler.

Il a bien vu, à proximité de l'église, une grande maison qui est probablement le presbytère; et il y a là, à gauche, assez de voitures alignées pour supposer un parking. Il devinera peut-être les toilettes dans cette vieille construction, derrière les ruines du collège incendié. Mais autrement, rien, du moins rien qui rappelle un lieu de pèlerinage.

Car il s'y connaît: l'Oratoire, Lourdes, Fatima, les haut-lieux du pèlerinage catholique montrent un sens remarquable des besoins du pèlerin contemporain: parking illimité, salles de repos, restaurants, kiosque d'information, dépliants dans toutes les langues, stock varié d'objets de piété, cartes postales, fontaines d'eau bénite.

Ici, débrouillez-vous. Le magasin ouvre à des heures imprévisibles; les stocks de médailles sont renouvelés ou ne le sont pas, on s'occupe ou on ne s'occupe pas de vous.

Si vous parlez français ou anglais, il y a l'avant-midi ou l'après-midi, un vidéo très bien fait donnant l'essentiel. Si vous parlez italien, tous les soirs à cinq heures trente, on vous tiendra au courant des derniers développements. Autrement, rien: pas d'hôtel, pas de service de réservation de chambres, pas de guide des lieux d'apparitions, pas d'horaires. Rien.

En poussant une pointe jusqu'à Bijakovići, vous verrez sur la maison de chacun des voyants un écriteau disant qu'on peut les voir le soir à quatre heures. Mais encore ici, ils viendront ou ne viendront pas, excepté Vicka et Marija, toujours fidèles.

Voilà pourquoi vous êtes planté debout sur la place de l'église. Mais ne restez pas là. En y regardant de plus près, vous verrez que le personnel du presbytère fait l'impossible. Il faut une endurance croate pour mener cette vie sur la brèche sept jours par semaine, de six heures du matin à dix et onze heures du soir, à organiser des messes pour les groupes de pèlerins, à recevoir continuellement des évêques, des observateurs, des reporters de tous les continents, en plus d'être interviewé, de faire office de traducteur auprès des voyants, de loger les visiteurs.

Un tel tour de force n'est possible qu'au prix d'un choix radical de l'essentiel contre l'accessoire. Ainsi, pour le père Slavko, Međugorje, c'est deux montagnes et une église. À la montagne, on fera son chemin de croix pour la paix dans le monde; à la colline, on foulera respectueusement le sol des premières apparitions; à l'église le Saint Sacrifice est offert pour la rédemption universelle.

Il est particulièrement impitoyable pour les pèlerins du coucher de soleil, qui restent dehors et suivent les prières de l'oreille gauche dans les haut-parleurs de la place de l'église, pour ne pas manquer une éventuelle danse du soleil. Il ne se gêne pas pour les regarder de travers en se rendant à la messe, après quoi il les interpelle au micro dans les haut-parleurs extérieurs: ''Je vous répète ce que la Vierge a dit tant de fois: entrez prier, ne restez pas là à attendre des signes.''

C'est l'heure de prendre l'avion pour Montréal. Mon compatriote est pensif:

— Je n'ai rien vu à Međugorje, mais je n'y suis pas allé pour rien ... D'ailleurs, je vais y retourner, c'est sûr ...

Voilà. Sans le savoir, il a tout dit: personne n'est allé à Međugorje pour rien!

XXXIII

VICKA PARLE DE NOTRE DAME

En lisant sur Međugorje, j'ai été frappée par la beauté des expressions de Vicka, lorsqu'elle parle de notre Dame. Je m'en suis fait une petite anthologie, qui est ensuite devenue une litanie de Međugorje, puis ce poème par centonisation, que je me suis, selon l'expression de Saint Luc, gravé sur le coeur (Lc, 1). Le voici, en conclusion de ce journal. Puisse-t-il aussi vous inspirer! *

Notre Dame est merveilleuse!
C'est toujours merveilleux de la regarder.
J'ai vu ses yeux, bleu clair,
Qui sont d'une merveilleuse beauté.
Ils me regardaient gentiment,
Avec une telle bonté![1]
En sa présence, j'avais le sentiment
D'être au paradis.
C'est comme si le Ciel s'ouvrait devant moi.
Ces yeux … Ce sourire …
Cette tendresse, cette voix qui murmure …
Merveilleux!

Elle est gentille, notre Dame!
Elle ne sait pas être fâchée.
Elle est plus gentille que les hommes.
Elle nous comprend.
Elle me regarde comme une mère,
Comme ma meilleure amie qui m'aide.[2]

---

* Sauf contre-indication, le contenu de ce poème vient du livre de Bubalo. Les pages sont, dans l'ordre: 23, (1: LR, 59), 35, 148, 48, 44, (2: LR, 62), 80, 147, 31, 81, 81, 147, 81, 80, 81, 148, (3: Klanac), 39.

Notre Dame est fidèle.
Dans l'épreuve, Elle nous a encouragés:
"L'injustice a toujours existé,
Mais n'ayez pas peur!"
Avec Elle, nous ne connaissons pas
Le découragement.
Nous sommes chaque jour
Plus fermes et plus courageux.
Elle prie avec nous,
Je supporterai tout,
Je n'ai pas peur.

La Sainte Vierge est avec moi.
Alors qui pourrait faire
Quoi que ce soit contre moi?
Personne ne peut venir à bout de notre Dame.
Jamais je n'ai perdu confiance en moi-même
Parce que notre Dame m'était toujours proche.
Dans mon coeur, je sais qu'elle vaincra.

Lorsque notre Dame part,
C'est comme si quelque chose
Se détachait de mon coeur.
Si nous pouvions l'aimer
Autant qu'elle nous aime![3]
Comment imaginer
Que nous ne soyons pas prêts
À mourir pour elle!

INFORMATIONS UTILES

POUR PRIER EN CROATE

L'idée de vous proposer de prier en croate s'est imposée lors des conférences que j'ai données à mon retour de Medugorje. Pour donner aux participants une idée de l'atmosphère des apparitions, je récitais en croate le *Pater*, l'*Ave* et le *Gloria* avec les intonations de Vicka. Or il s'est avéré chaque fois que cette récitation avait été l'un des grands moments de la soirée. Bien plus: immanquablement quelqu'un me demandait le texte et la prononciation de ces prières. Les voici. Sauf indication contraire (marquée d'une syllabe en italique), l'accent est sur la première syllabe. Ex.: Svetog: l'accent est sur *sve*; dans ne*be*sima, l'accent est sur *be*.

Znak svetog križa

Znak	svetog	križa
znak	svetog	krija
Signe	de (la) sainte	croix

U	ime	Oca	i	Sina	i	Duha	Svetoga.	Amen.
ou	imé	otsa	i	sina	i	douhha	svetoga.	Amen.
Au	nom	du Père	et	du Fils	et	du Esprit	Saint.	Amen.

Očenaš
Père notre

Oče	naš,	koji	jesi	na	nebesima,	sveti	se	ime	tvoje,
otché	nach,	koyi	yêsi	na	nêbêsima,	svêti	sé	imé	tvoyé,
Père	notre,	qui	es	dans (les)	cieux,	sanctifie	se	nom	ton,

dođi	kraljevstvo	tvoje,	budi	volja	tvoja	kako	na	nebu
dodji	kralyêvstvo	tvoyé,	boudi	volya	tvoya	kako	na	nêbou
vienne	règne	ton,	soit	volonté	ta	comme	dans (le)	ciel

tako	i	na	zemlji.
tako	i	na	zêmlyi.
ainsi	aussi	sur (la)	terre.

Kruh	naš	svagdanji	daj	nam	danas.
krouh	nach	svagdanyi	day	nam	danas.
Pain	notre	quotidien	donne	nous	aujourd'hui.

I	otpusti	nam
I	otpousti	nam
Et	remets	nous

duge naše kako i mi otpuštamo dužnicima našim. I ne
dougé naché kako i mi otpouchtamo doujnitsima nachim. I nè
dettes nos comme aussi nous remettons débiteurs à nos. Et ne

uvedi nas u napast, nego izbavi nas od zla. Amen.
ouvèdi nas ou napast, nègo izbavi nas od zla. Amen.
fais entrer nous en tentation, mais libère nous du mal. Amen.

ZdravoMarijo
Salut, Marie

Zdravo Marijo, milosti puna, Gospodin s tobom,
zdravo mariyo, milosti pouna, gospodin s tobom,
Salut, Marie, de grâce pleine, (le) Seigneur avec toi,

blagoslovljena ti među ženama i blagoslovljen plod
blagoslovlyèna ti mèdjou jènama i blagoslovlyèn plod
bénie toi entre (les) femmes et bénie (le) fruit

utrobe tvoje, Isus.
outrobé tvoyé, Isus.
de sein ton, Jésus.

171

Sveta	Marijo,	majko	Božja,	moli	za	nas	grešnike
Světa	mariyo,	mayko	boja,	moli	sa	nas	grêchniké
Sainte	Marie	mère	de Dieu,	prie	pour	nous	pécheurs

sada	i	na	čas	smrti	naše.	Amen
sada	i	na	tchass	smerti	naché.	Amen
maintenant	et	à	(l')heure	de mort	notre.	Amen

Slava Ocu
Gloire au Père

Slava	Ocu	i	Sinu	i	Duhu	Svetome.	Kako	bijaše
slava	otsou	i	sinou	i	douhou	světomé.	Kako	biyaché
Gloire	au Père	et	au Fils	et	à l'Esprit	Saint.	Comme	il était

na	početku,	i	tako	i	sada	i	vazda	i	u
na	potchètkou,	i	tako	i	sada	i	vazda	i	ou
au	commencement,		ainsi	et	maintenant	et	toujours	et	dans (les)

vijeke	vjekova.	Amen.
viyèké	vièkova.	Amen.
siècles	des siècles.	Amen.

(Je) Vjerujem u Boga, Oca svemogućega, Stvoritelja neba
vjêrouyèm ou Boga, otsa svèmogoutchêga, stvoritêlia nèba
(Je) crois en Dieu, (le) Père tout-puissant, Créateur du ciel

i zemlje. I Isusa Krista, Sina njegova jedinoga, od
i zêmlié. i isousa krista, sina niègova yêdinoga, od
et de la terre. Et en Jésus-Christ, Fils son unique, de

Gospodina našega, koji je začet po Duhu Svetom, rođen
gospodina nachêga, koyi yè zatchèt po douhhou svêtom, rodjen
Seigneur notre qui est conçu par (l') Esprit Saint, né

Marije Djevice, mučen pod Poncijem Pilatom, raspet, umro
mariyé diêvitsé, moutchen pod pontsiyêm pilatom, raspêt, oumro
Marie (la) Vierge, souffert sous Ponce Pilate, crucifié, mort

i pokopan; Sašao nad pakao, treći dan uskrsnuo od
i pokopan; sachao nad pakao, trêtchi dan ouskersnouo od
et enseveli; descendu à enfer, troisième jour ressuscité des

Hrvatski	Phonétique	Français
mrtvih,	mertvihh,	morts,
u*za*šao	ouzachao	monté
na	na	aux
ne*be*sa,	nêbêsa,	cieux,
sjedi	sièdi	assis
o	o	à (la)
desnu	dèsnou	droite
Boga	Boga	de Dieu
Oca	otsa	Père
svemo*gu*ćega;	svêmogoutchêga;	tout-puissant;
odonud	odonoud	de là (il)
će	tché	viendra
doći	dotchi	
suditi	souditi	juger
žive	jivé	(les) vivants
i	i	et (les)
mrtve.	mertvé.	morts.
(Je) Vje*ru*jem	vièrouyèm	crois
u	u	à (l')
Duha	douhha	Esprit
Svetoga,	svêtoga,	Saint,
svetu	svêtou	sainte
Crkvu	tserkvou	Église
kato*li*čku,	katolitchkou,	catholique, (à la)
opčinstvo	optchinstvo	communion
svetih,	svêtihh,	des saints,
(à la) op*ro*štenje	oprochtênyé	rémission
grijeha,	griyèhha,	des péchés,
(à la) us*krs*nuće	ouskersnoutché	résurrection
ti*je*la,	tiyèla,	de la chair,
(à la) život	jivot	vie
vječni.	viètchni.	éternelle.
Amen.	Amen.	Amen.

QUOI LIRE SUR MEĐUGORJE?

Je ne veux pas reprendre ici le travail remarquable de Laurentin, qui a présenté en 1984 une bibliographie ordonnée de tout ce qui était disponible alors: archives, mémoires, manuscrits, livres, articles, cassettes. Il poursuit cette tâche difficile et devrait être le premier consulté sur cette question. Je veux simplement indiquer ce qui, dans ce que j'ai lu, peut donner l'idée la plus juste possible des événements importants de Međugorje.

Pour le compte rendu des événements, le livre de Laurentin: *La Vierge apparaît-elle à Međugorje* (1984) est actuellement le meilleur. La plupart des autres s'y réfèrent. Ce livre s'accompagne de quatre "compléments", parus en décembre 1984, mars, juin et octobre 1985.

Kraljević (1984), moins complet que Laurentin, donne pourtant des détails précis inédits sur les premières apparitions, par mode de dialogues qu'il a eus avec les voyants et d'autres personnes impliquées.

Ljubić (1985) semble avoir eu accès à d'autres sources. Il y a dans ce livre de nombreux détails qu'on ne trouve pas ailleurs. Tout en rapportant essentiellement les mêmes événements, il a souci de situer les faits dans le contexte du régime marxiste. Sans insister sur les aspects pénibles de la mission des voyants, il en fait davantage état.

Bubalo (1984) rapporte de façon ordonnée une longue série d'entrevues avec Vicka. Ce livre est absolument bouleversant. Il vient d'ailleurs d'être primé en Italie.

L'ouvrage de Laurentin et Joyeux (1985) présente les études scientifiques: médicales et psychologiques, faites sur les voyants durant les apparitions et lors d'entrevues et d'examens.

"*Aprite i vostri cuori*" (1985) est un recueil de commentaires spirituels sur le contenu des messages, donnés à Međugorje durant quatre ans par les Pères Tomislav Vlašić et Slavko Barbarić, successivement vicaires de la paroisse.

Faricy (1984) donne une longue entrevue avec Mirjana, qui vaut la peine d'être lue. Ce sont les apparitions vues par une étudiante d'université.

On trouvera dans Girard (1985) un interview avec le père Tomislav Vlašić, o.f.m., qui a été vicaire à la paroisse de 1981 à 1984. Il y donne son interprétation des messages de la Vierge.

Blais (1986) fait essentiellement une présentation commentée des 500 communications de notre Dame aux voyants, à Jelena et à la paroisse. Les 17 chapitres de l'ouvrage abordent les grands thèmes: la conversion, le jeûne, les vertus, etc. À la fin du livre, deux tables, chronologique et thématique, permettent de répérer facilement tous les messages. L'ouvrage contient en outre un nombre impressionnant d'excellentes photos des voyants, des gens et des lieux.

Le journal *L'Informateur Catholique* de Montréal, dirigé par Paul Bouchard, a publié des articles sur Međugorje et se tient au courant des événements. 1915 est, boul. Gouin, Montréal (Qué), H2B 1W7. Tél.: (514) 388-8331.

Enfin, le père Raymond Bernier, r.s.v., de Québec, tient un stock permanent des meilleurs livres sur Međugorje. Patro Roc-Amadour, 2301, 1ère avenue, Québec (Qué), G1L 3M9. Tél.: (418) 523-6316.

QUOI FAIRE À MEĐUGORJE?

Pour profiter vraiment d'un voyage à Međugorje, il n'est pas inutile de prendre note "qu'il n'y a absolument rien dans cette localité qui puisse détourner l'esprit des pèlerins du but de leur voyage" (L, 24). Et quel devrait être le but de ce voyage? Celui-là même de la venue de notre Dame à Međugorje: la Paix de Dieu. Et non pas les prodiges. Laurentin donne un conseil très judicieux: ne pas chercher à Međugorje le prodige physique, mais "le miracle-type, c'est-à-dire une action divine qui va de l'intérieur à l'extérieur, de la guérison du péché à la guérison psychique et à la guérison physique" (LR, 13).

Au presbytère, vous pouvez voir en français des vidéos sur Međugorje, l'avant-midi et l'après-midi. C'est plus facile si vous êtes avec un groupe.

À cinq heures et demie, à l'église et en langue italienne, il y a un compte rendu des événements concernant les apparitions. On donne les dernières nouvelles. Dans les autres langues, c'est au sous-bassement du presbytère, sur rendez-vous.

Les objets de piété sont vendus au presbytère. On peut les faire bénir par notre Dame, à l'apparition du soir. En arrivant, elle regarde les objets et les bénit en faisant le signe de la croix, en silence. Quelquefois, elle touche l'objet avec sa main (B, 103). Encore ici, il est impossible de vous dire que vos objets seront acceptés. Vous aurez plus de chance si vous en avez beaucoup, si vous les mettez dans un sac bien fermé avec votre nom et celui de votre pays en grosses lettres. Et que notre Dame vous aide! ...

Voici maintenant les hauts-lieux de l'action divine à Međugorje et les renseignements nécessaires pour en avoir pleine connaissance.

Un mot de Vicka ou de Marija ont permis à plusieurs pèlerins de sortir d'impasses apparemment sans issue.

L'église et la chapelle des apparitions

"La messe est ce qu'il y a de plus grand" dit notre Dame. Dès le début des apparitions, les prêtres de Međugorje ont mis les points sur les "i": l'essentiel de la vie chrétienne, c'est la pratique des sacrements; en premier lieu, l'Eucharistie et la Pénitence où l'on se réconcilie avec Dieu. Huit jours après les apparitions, au tout début de juillet 1981, le père Jozo Zovko, o.f.m., a commencé les messes du soir pour que les gens "cessent d'être des spectateurs et qu'ils deviennent de véritables participants à ces événements" (K, 43).

Une messe dans la chapelle des apparitions est inoubliable, mais la cérémonie à l'église est aussi très recueillie, surtout le jeudi soir, où notre Dame donne son message à la paroisse, et le dimanche matin à onze heures, où il y a beaucoup moins de pèlerins.

Pour prier seul à la chapelle des apparitions, le meilleur temps est l'après-midi. Durant l'avant-midi, il y a régulièrement des messes, organisées par les groupes de pèlerins accompagnés par des prêtres et annoncées la veille à la messe du soir, à sept heures.

Apparitions de notre Dame

Tous les soirs, notre Dame apparaît dans une des pièces du presbytère. Il n'est pas impossible d'y assister et les critères d'admission sont déterminés par une logique qui m'échappe encore. Peut-être serez-vous du nombre des élus …

Križevac, la grande croix et les quatorze stations

Ici, vous êtes en présence de notre Dame qui prie continuellement pour ceux qui sont sur le chemin de l'enfer.

La montée de Križevac est difficile, mais ce n'est pas une expédition. On peut y aller à toute heure du jour ou de la nuit, mais la plupart des pèlerins s'y rendent tôt le matin ou en soirée.

Sur le sentier de Križevac, quatorze croix de bois mènent à la grande croix de béton que notre Dame aime particulièrement: une invitation à méditer la Passion de notre Seigneur.

À gauche de la grande croix, vous remarquerez une petite fournaise de métal où les pèlerins font brûler les papiers sur lesquels on a écrit des intentions.

Sur la base même de la grande croix, vous verrez des cierges et des lampes votives que les pèlerins font brûler en hommage à notre Rédempteur. Vous pouvez vous en procurer au presbytère. Mais les provisions manquent régulièrement.

Podbrdo

Podbrdo, relativement facile d'accès, est le lieu béni des premières apparitions, facilement repérable par une grande croix blanche et deux petites croix. Cet endroit est calme et les gens de Međugorje viennent y passer de longues heures à prier en silence. Le temps idéal pour s'y rendre est le soir après la messe. L'air est frais et le calme du soir favorise le recueillement. Beaucoup de gens y vont aussi tôt le matin.

Pour rencontrer les voyants

Bijakovići est le quartier (en langue québécoise, nous dirions *le rang*) où demeurent tous les voyants, lorsqu'ils sont à Međugorje. Vous verrez des écriteaux sur les maisons: maison de Vicka, maison de Marija, etc. En principe, il a été convenu qu'ils accueilleraient les pèlerins de quatre à cinq heures de l'après-midi. En fait, il n'y a que Marija et Vicka qui sont au rendez-vous. Leurs maisons sont faciles à trouver. Elles sont à gauche et à droite du sentier menant à Podbrdo. On a dit qu'un mot de Vicka ou de Marija ont permis à plusieurs pèlerins de surmonter des crises ou impasses apparemment sans issue (LS, mars 85, 11). Vous pouvez aussi vous rendre au presbytère à l'heure des apparitions. Et, chaque soir, en alternance, deux des voyants font les lectures à la messe de sept heures.

Le cimetière

Le cimetière de Bijakovići est une véritable oasis, avec des cèdres, des fleurs et des oiseaux. On peut s'y asseoir, y méditer, se reposer. C'est ici que repose la mère de Jakov Čolo.

* * *

Si vous le pouvez et si vous en avez le temps, l'idéal est de faire tous ces trajets à pied, calmement, comme si c'était le dernier et le plus important voyage de votre vie. Il me semble d'ailleurs que ce serait le conseil de Vicka:

"Nous pourrions être meilleurs, c'est sûr! Mais nous sommes trop sollicités par la vie quotidienne. Pourtant il faudrait que nous trouvions plus de temps pour nous recueillir'' (B, 123).

Un jour à Međugorje

Si vous n'avez qu'une journée à Međugorje, voici l'horaire qui vous permettra d'en profiter au maximum. Je suppose que vous êtes à pied.

6 h 00   Départ pour Križevac

10 h 00   Messe à la chapelle des apparitions
          Achat des souvenirs au magasin

13 h 00   Prière à la chapelle des apparitions
          Vidéos sur Međugorje au presbytère

15 h 30   Départ pour Bijakovići

16 h 00   Arrêt chez Marija et Vicka

17 h 30   Les voyants arrivent au presbytère

19 h 00   Deux des voyants font les lectures à la messe du soir

20 h 00   Montée à Podbrdo

	HEURE D'ACCÈS	HEURE IDÉALE	DURÉE, REMARQUES
Križevac	Toute heure	Tôt le matin ou en soirée	3 heures*. La montée est difficile. Il y a un sentier.
Podbrdo	Toute heure	Tôt le matin ou en soirée	1 heure 20 minutes*. La montée est facile. Il y a un sentier.
Bijakovići Maisons des voyants	Toute heure	16 h 00	40 minutes*.
Cimetière	Toute heure		30 minutes*.
Église	De 6 h 00 à 22 h 00	De 12 h 00 à 17 h 00	Durant l'avant-midi, il y a de la circulation à cause des messes à la chapelle des apparitions.
Chapelle des apparitions	De 6 h 00 à 22 h 00	De 12 h 00 à 17 h 00	Même remarque.
Messe à la chapelle des apparitions	Avant-midi		
Vidéos au presbytère	9 h 00 à 12 h 00 15 h 00 à 17 h 00		Sur demande. Plus facile pour les groupes.
Magasin	9 h 00 à 12 h 00 15 h 00 à 17 h 00	À l'ouverture	Toujours encombré.
Les voyants reçoivent	16 h 00 à 17 h 00	16 h 00	Chez Marija et Vicka, plus fidèles au rendez-vous.
Les voyants arrivent au presbytère	17 h 30 à 18 h 00		
Les voyants font les lectures	19 h 00		Chaque soir, deux voyants, en alternance.
Rosaire à l'église	18 h 00 à 19 h 00		Mystères joyeux et douloureux avant la messe; glorieux, après la messe.
Bénédiction des malades	20 h 30 à 21 h 30		La cérémonie est longue.
Compte rendu des apparitions	17 h 30		Chaque soir, en italien.

---

* La durée comprend l'aller-retour à pied à partir de l'église.

COMMENT ALLER À MEÐUGORJE

Vous pouvez aller à Meðugorje seul — et seule! C'est probablement l'endroit le plus sécuritaire du globe. Le meilleur temps est la période allant du début de mai à la mi-octobre. Vous pouvez aussi y aller en hiver. Mais rares sont les maisons chauffées à Meðugorje. Par contre, les hôtels le sont.

DOCUMENTS

1. Vous avez besoin d'un passeport valide.

2. Il faut obtenir un visa de la R.S.F. de Yougoslavie. Au Canada, vous pouvez l'obtenir à Ottawa:
Ambassade de la R.S.F. de Yougoslavie
17, Blackburn, Ottawa (Ont.) K 1 N 8 A 2
Téléphone: (613) 233-6289.

   Autre possibilité: les responsables de l'ambassade viennent à l'Hôtel Reine Élizabeth une fois par mois, habituellement le samedi de la troisième semaine. Vous vous présentez en personne pour remplir le formulaire (1$) et vous laissez votre passeport. L'ambassade vous le retourne avec votre visa, dans la semaine qui suit.

   Autre possibilité: selon Fodor (1985), le visa peut être émis gratuitement aux aéroports et aux frontières.

   Notez que vous n'avez pas besoin de photo.

3. Permis de conduire

   Le permis international est requis. Vous pouvez l'obtenir du Club automobile (7$). Il vous faut 2 photos, de format passeport. CAA Québec, 1425 de la Montagne, Montréal, H3G 2R7. Tél.: (514) 288-7111.

4. Cartes de crédit

Les cartes de crédit sont acceptées (*American Express*, *Visa*, *Master Card*).

TRANSPORT

Aller-retour Montréal/Zagreb/Dubrovnik:
JAT (Yougoslavian Air Transport): du 23 septembre au 30 mai: 830$ CAN. En haute saison: 930$ CAN.

De l'aéroport de Dubrovnik au Centre de Dubrovnik en taxi: 10$ US.

De Dubrovnik à Mostar en autobus: 3$ US.

De Mostar à Međugorje en taxi: 15$ US.

Si vous louez une voiture, achetez des coupons d'essence, car le prix du carburant est élevé. Vous ne pouvez obtenir ces coupons qu'avec des devises étrangères.

LOGEMENT

Les hôtels	Prix d'une chambre simple	Distance de Međugorje
Čitluk	(Pension complète: 21$ US * (Chambre et petit déj. 15$ US)	5 km
Ljubuški	(mêmes prix)	20 km
Mostar	(Toutes les catégories européennes)	30 km

Chez les gens de Međugorje: environ 10$ US par jour, pour la nourriture et le logement. Depuis que le bureau gouvernemental du tourisme sert d'intermédiaire obligé, il faut lui verser 8$ US par jour.

REPAS

Le prix des repas dans les restaurants: 5$ US.
À Međugorje: moitié prix.

---

* Prix en mai 1985.

VÊTEMENTS ET ACCESSOIRES

Voici les températures moyennes de Split tout au long de l'année, telles que les donne *Fodor* en degrés centigrades:

janv.	fév.	mars	avr.	mai	juin
10	11	14	18	23	27

juil.	août	sep.	oct.	nov.	déc.
30	30	26	20	15	12

Se vêtir avec dignité, c'est respecter le lieu de pèlerinage et les gens de Međugorje. Pour visiter les alentours, surtout les montagnes, il faut des chaussures de marche. À partir du mois de mai, la chaleur peut être étouffante. Un chapeau est une nécessité.

Vous apprécierez une gourde et une petite lampe de poche.

Il y a un magasin général et un bureau de poste à proximité de l'église.

Près de l'église, vous avez des robinets avec de l'eau potable. Entre la rivière et l'église, il y a des toilettes.

Les soins médicaux sont accessibles aux étrangers.

Les prises de courant sont européennes (empattement large et pattes rondes). Le courant est le 220 volts.

LA LANGUE

Dans les hôtels, on parle l'anglais et l'italien. D'une façon générale, les gens de Međugorje parlent seulement le croate. Ce n'est pas le serbo-croate du livre *Assimil*. Au presbytère, on parle l'anglais, le français, l'italien et, selon les gens qui passent, d'autres langues. Vous pouvez aussi aborder les pèlerins. Il en vient de toutes les parties du monde, et de toutes les langues. Il est pratiquement impossible que vous soyez complètement mal pris. En désespoir de cause, demandez:

Y a-t-il ici quelqu'un qui parle le français,
Je li ovdje neko koji govori francuski,
Yè li *ov*diè *nè*ko *ko*yi *go*vori *frann*tsuski,

anglais,	italien,	espagnol?
engleski,	italianski,	španjolski?
*enn*glèski,	*ita*liannski,	*chp*aniolski?

Si vous désirez apprendre le croate — ne serait-ce que pour l'essentiel: vous débrouiller —, vous vous en féliciterez, car c'est le visa spirituel qui vous donnera accès au coeur du peuple. Alors, quel coeur! Et quel peuple! Pour les meilleurs volumes, voyez la liste des références à la fin du livre, sous le titre *Pour apprendre le croate*.

CODE DES RÉFÉRENCES

B	=	Bubalo, traduction française
Bc	=	Bubalo, original croate
BB	=	Bonifacio et Brughera
F	=	Faricy
K	=	Kraljević
L	=	Ljubić
LJ	=	Laurentin et Joyeux
LR	=	Laurentin et Rupčić
LS, déc. 84	=	Laurentin, supplément de décembre 1984
LS, oct. 85	=	Laurentin, supplément d'octobre 1985
LS, mars 85	=	Laurentin, supplément de mars 1985
N	=	Nuića
TOB	=	Traduction oecuménique de la Bible
Y	=	Yeung

BIBLIOGRAPHIE

Barbarić, Slavko, o.f.m., rédacteur, *Poruke Mira Međugorje*. Zagreb, Rkt. župa Sv. Marije Dolac, 1985, 32 pages. (Adresse: Kaptol 3, Zagreb). Les messages, du 1 mars 1984 au 17 octobre 1985. En croate.

Blais, Père Yves-Marie, *Apparitions à Medjugorje. 500 messages à vivre.* Charlesbourg (Qué.), Canada, les éditions Fatima, 432 p.. 100 photos couleurs. B.P.4925, Succ. St-Laurent, Mtl (Qué.), Canada. H4L 4Z6.

Bonifacio, Alberto; Brughera, Mario, Editeurs, *Aprite i vostri cuori a MARIA, regina della pace.* Entretiens spirituels de Tomislav Vlašić, o.f.m. et de Slavko Barbarić, o.f.m.. Milan, 1985, 157 p.

Bubalo, Yanko, *"Je vois la Vierge". Aînée des voyants de Medjugorje, Vicka raconte les apparitions et son extraordinaire expérience.* Préface de R. Laurentin. Traduction de V. Knežević. Paris, O.E.I.L., 1984, 193 p., photos.

Bubalo, Yanko, *Tisuću susreta s Gospom u Međugorju. O svojim iskustvima govori vidjelica Vicka.* Jelsa, o. Hvar, 1985.

Ćorić, Šito, *Hrvastke Molitvene Popjevke.* Zagreb, Krscanska Sadašnjost; Duvno, Naša Ognjišta, 1977, 260 p.

Dante, Allighieri, *La Divine Comédie.* Traduction en vers français par Amédée de Margerie. Paris, 1913.

Faricy, Robert, S.J.; Rooney, Lucy, S.N.D., *Medjugorje. Marie, Reine de la Paix. La Mère de Dieu apparaît-elle en Yougoslavie?* Traduit de l'américain. Paris, Téqui, 1984, 119 p., photos.

Fodor, Eugene, *Fodor's Yugoslavia 1985.* New York, 1984, 320 p.

Girard, P. Guy, s.ss.a., Girard, P. Armand, s.ss.a., *Medjugorje, terre bénie! Apparitions de la Vierge à six adolescents.* Montréal, Les Editions Paulines, 1985, 59 p., photos.

Jung, Carl G., et al., *Man and his Symbols.* New York, Doubleday and Company Inc., 1964, 320 p.

Klanac, Darija, *Entrevue avec Vicka.* Vidéo couleur.

Kraljević, Svetozar, *Les apparitions de Međugorje. Récits, Témoignages.* Paris, Fayard, 1984, 125 p., photos, ill.

Krythe, R. Maynie, *Sampler of American Songs.* New York, Harper and Row, 1969, 245 p.

Mennessier, I., *La religion* (Somme théologique de Saint Thomas d'Aquin). Paris, Desclée, 1953.

Munari, Tiberio, *La Virgen Maria habla en Mediugorie*. Publicaciones Misionales "Centro Xavier". Guadalajara, Mexico, 1984.

Nuića, Fra Anđela, *Molitvenik*. Mostar, Provincijalat Hercegovačkih Franjevaca, 1981 (vingtième édition).

Tommaseo, Niccolò *La Divina Commedia con la vita di Dante*. Milano, 1930.

Traduction oecuménique de la Bible, Ancien et Nouveau Testaments. Paris, Cerf et Les Bergers et les Mages, 1973 et 1975.

Yeung, Andrew Jerome, *The way to Medjugorje, Yougoslavia*. Toronto, Mir Publications, 1984, 32 p., photos.

Yougoslavie. Medjugorje et la Sainte Vierge, Reine de la Paix. Trad. de l'italien par M. Chausfoin. Paris, Téqui, 1984. 30 pages. Adresse: 82, rue Bonaparte, Paris VI.

Zanic, Père Joseph-Charles, O.P., *Homélie du 28 juin 1970*. Non publié.

POUR APPRENDRE LE CROATE

Barac-Kostrenčić, Visjna et al., *Učimo Hrvatski (Let's Learn Croatian). Prvi Stupanj (Stage 1); Priručnik za Studente (Student's Handbook)*. Zagreb, Centar za učenje stranih jezika, 1982. Adresse: Vodnikova 12, Zagreb.

Grujić, Branislav, *Standardni Rečnik francusko-srpskohrvatski*. Zagreb/Beograd, Stampa Izdavačko Štamparska radna organizacije "obod", Cetinje, 1982. 22e édition.

Vitas, Dušan, *Francuski s Izgovorom. 4000 Riječi i izraza*. Zagreb, Narodno sveučilište, 1984 (c.1971). Adresse: "Futura", 41001, Zagreb, Pošt.pretinac 198. 4000 mots et expressions courantes. Français/croate.

Zovko, C.I., *The Handbook of Croatian Language*. Editions ZIRAL (Zajednica Izdanja Ranjeni Labud), 1983. 293 pages. Excellente méthode: complète, graduée, avec vocabulaire essentiel et grammaire. 12$. Information: Croat Catholic Association, 4990, place de la Savane, Montréal, H4P 1Z6. Tél.: (514) 739-7497.